Muriel
BARBERY
1969

Мюриель БАРБЕРИ

Элегантность ежика

АЗБУКА

Санкт-Петербург

УДК 821.133.1-3
ББК 84(4Фра)-44
   Б 24

Muriel Barbery
L'élégance du hérisson
© Editions Gallimard, Paris, 2006

Перевод с французского
Н. Мавлевич и М. Кожевниковой

Оформление обложки В. Гореликова

Барбери М.

Б 24   Элегантность ежика : роман / Мюриель Барбери ; пер. с фр. Н. Мавлевич и М. Кожевниковой. — СПб. : Азбука, Азбука-Аттикус, 2014. —
352 с. — (Азбука-классика).
       ISBN 978-5-389-04571-2

«Элегантность ежика», второй роман французской пи-
сательницы Мюриель Барбери (р. 1969), прославил ее имя
не только во Франции, но и во многих других странах. Мюриель страстно влюблена в творчество Л. Н. Толстого и культуру Японии, и обе эти страсти она выразила в этой книге.

Девочка-подросток, умная и образованная не по годам,
пожилая консьержка, изучающая философские труды и
слушающая Моцарта, богатый японец, поселившийся на
склоне лет в роскошной парижской квартире... О том, что
связывает этих людей, как меняется их жизнь после того,
как они случайно находят друг друга, читатель узнает, открыв этот прекрасный, тонкий, увлекательный роман.

УДК 821.133.1-3
ББК 84(4Фра)-44

ISBN 978-5-389-04571-2

Стефану,
вместе с которым я писала эту книгу

Маркс
(Вступление)

1. ПОСЕЕШЬ ЖЕЛАНИЕ

— Маркс совершенно изменил мое видение мира, — сказал мне сегодня утром молодой Пальер, никогда прежде со мной не заговаривавший.

Антуан Пальер — богатый наследник династии промышленников, сын одного из восьми моих работодателей. Молодой человек, один из последних отпрысков крупной деловой буржуазии, которая в наши дни размножается исключительно путем непорочной отрыжки, просто хотел блеснуть новыми познаниями, у него и в мыслях не было, что я что-нибудь соображаю в таких вещах. Разве трудящиеся массы способны разобраться в Марксе! В этом сложном тексте, научном слоге, утонченном языке, запутанных умозрениях.

И тут я чуть было глупейшим образом себя не выдала.

— Вы бы почитали «Немецкую идеологию», — ляпнула я этому балбесу в модной курточке бутылочного цвета.

Чтобы понять, что такое Маркс и в чем он ошибался, надо прочесть «Немецкую идеологию». Это антропологическая база, из которой выросли все его россказни о новом мире и на которой зиждется главнейшее его убеждение: следует не гоняться за химерой желаний, а ограничиться потребно-

9

стями. Только в мире, где будет обуздан *гибрис*[1] желания, станет возможным новое общественное устройство, без войн, угнетения и тлетворного неравенства.

Еще немного — и я, забыв, что, кроме моего кота, меня слышит кто-то еще, пробормотала бы:

— Посеешь желание — пожнешь угнетение.

К счастью, Антуан Пальер, которого пренебрежение к людям и легкий намек на усы еще не приближают к кошачьему роду, смотрит на меня так, будто ослышался. Меня, как обычно, спасает человеческая неспособность поверить во что-то, что не укладывается в уютные привычные представления. Консьержки «Немецкую идеологию» не читают, и им, слава богу, неведом одиннадцатый тезис о Фейербахе[2]. Если же вдруг найдется среди них такая, которая читает Маркса, значит, она ступила на путь порока и продала душу дьяволу, имя которому — профсоюз. А что консьержка может читать подобную литературу просто-напросто для общего образования — так это полная нелепость, которая ни одному нормальному буржуа и в голову не придет.

— Кланяйтесь мамаше, — буркнула я и закрыла свою дверь у него перед носом, надеясь на то, что вековые предрассудки окажутся сильнее, чем диссонанс двух фраз.

---

[1] Похоть, гордыня, излишество *(греч.)*.

[2] Имеется в виду одиннадцатый тезис из работы Маркса «Тезисы о Фейербахе»: «Философы лишь различным образом *объясняли* мир, но дело заключается в том, чтобы *изменить* его».

2. ШЕДЕВРЫ МИРОВОГО ИСКУССТВА

Меня зовут Рене. Мне пятьдесят четыре года. И вот уже двадцать лет я работаю консьержкой в доме номер семь по улице Гренель, красивом особняке с внутренним двором и садом. Тут восемь огромных роскошных квартир, и ни одна не пустует. Я вдова, некрасивая, толстая, маленького роста, на ногах у меня торчат косточки, а изо рта разит по утрам, как из помойки. Я это чувствую, когда уж очень сама себе бываю противна. Я нигде не училась и всегда оставалась бедной, скромной и незаметной. Живу одна, с котом, здоровенным и ленивым, в котором нет ничего примечательного, разве что манера всюду следить вонючими лапами, когда он чем-то недоволен. Ни он, ни я — и тут мы заодно — ничуть не стремимся влиться в ряды себе подобных. Поскольку я не очень-то приветлива, хотя всегда учтива, меня не слишком любят, но относятся ко мне вполне терпимо, ведь я идеально соответствую укоренившемуся в общественном сознании стандартному образу домашней консьержки, тем самым выполняя свою роль колесика в огромном механизме мировой иллюзии: согласно ей, жизнь будто бы имеет некий смысл, который ничего не стоит разгадать. На тех же небесных скрижалях человеческой глупости, где значится, что все консьержки — старые, сварливые уродины, записано огненными буквами, что вышеупомянутые консьержки держат жирных котов, которые целый день валяются на подушках, накрытых вязанными крючком накидками.

Далее сказано, что, пока коты валяются и спят, консьержки непрерывно смотрят телевизор и что в вестибюле непременно должно пахнуть стряпней: тушеным мясом, супом с капустой или свиным рагу. Мне страшно повезло, что я консьержка не в каком-нибудь, а в суперреспектабельном доме. До чего унизительно было готовить всю эту гадость, и как же я обрадовалась, когда месье де Брольи, государственный советник со второго этажа, вежливо, но твердо — должно быть, так он выражался, когда рассказывал жене об этом своем шаге, — дал мне понять, что подобные плебейские запахи неуместны в жилище такого класса. Однако я притворилась, что неохотно подчиняюсь.

Это было двадцать семь лет тому назад. И каждый день с тех пор я покупаю в мясной лавке ломтик ветчины или кусок телячьей печенки, кладу в кошелку и несу домой вместе с пачкой лапши и пучком моркови. Глядите все: вот пища бедняков, имеющая то похвальное преимущество, что не издает неподобающего запаха, ведь я беднячка в доме богачей; таким образом я одновременно удовлетворяю общественные ожидания и своего кота по кличке Лев — он оттого и жирный, что обжирается едой, по идее предназначенной мне: свининой, макаронами с маслом, а я, пока он чавкает, могу спокойно, не смущая обоняние ближних, питаться тем, что отвечает моим собственным вкусам, о которых никто не имеет понятия.

Куда труднее оказалось утрясти вопрос с телевизором. Пока был жив мой муж, не возникало никаких проблем: Люсьен смотрел все подряд, избавляя меня от этой повинности. В вестибюль бесперебойно поступали нужные звуки, и этого хватало для поддержания устоев социальной иерархии; когда же Люсьена не стало, мне пришлось поломать голову, чтобы придумать, как сохранять необходимую видимость. Люсьен исполнял вместо меня тягостную обязанность, его невежество надежно укрывало меня от подозрений окружающих; лишившись мужа, я лишилась этой защиты.

Все решилось с появлением видеонаблюдения.

Раньше каждый входящий должен был нажимать кнопку вызова, теперь же у меня автоматически звенел звоночек, соединенный с инфракрасным датчиком, давая мне знать о том, что в вестибюле кто-то есть, как бы далеко от входа я ни находилась. Потому что обычно я провожу почти все время в задней комнатке, изолированной от навязанных моим положением запахов и звуков, где могу делать что хочу и при этом оставаться в курсе всего, что должен знать исправный страж: кто, когда и с кем входит и выходит.

Таким образом, жильцы, проходя через вестибюль, слышали невнятный шум, говорящий о том, что за дверью работает телевизор, и этого вполне хватало их воображению — в силу его убожества, а вовсе не богатства, — чтобы нарисовать образ консьержки, сидящей перед экраном. Я же, забившись в свое логово, ничего не слышала, но понимала, что кто-то вошел. Тогда я подходила к круглому окошку, выходящему на лестничную клетку, и смотрела, кто там, оставаясь невидимой за белой муслиновой занавеской.

Видеокассеты, а потом божественные диски DVD еще более радикально изменили к лучшему мое существование. Поскольку консьержка, млеющая перед «Смертью в Венеции», — явление довольно странное, как и симфония Малера, доносящаяся из привратницкой, я посягнула на скопленные с большой натугой семейные сбережения и купила новый телевизор с плеером, который установила в своем тайном убежище. А старый остался в офисе и обеспечивал мне конспирацию, изрыгая рассчитанную на улиточьи мозги дребедень, пока я со слезами на глазах наслаждалась шедеврами мирового искусства.

Глубокая мысль № 1

Погонишься за звездами —
Кончишь жизнь в аквариуме
Золотою рыбкой.

Насколько мне известно, взрослым случается иногда задуматься о своей бездарной жизни. В таких случаях они начинают стенать, бестолково метаться, как мухи, которые тупо бьются и бьются в стекло, чахнуть, страдать, переживать и удивляться, как занесло их туда, куда они вовсе не стремились. У самых умных эти причитания превратились в ритуал: о презренное, никчемное буржуазное прозябание! Такие циники попадаются среди папиных знакомых. Сидят в гостиной за столом и вздыхают с самодовольным видом: «Эх, где мечты нашей молодости! Развеялись как дым, такая сволочная штука — жизнь». Ненавижу эту их фальшивую умудренность! На самом деле они ничем не отличаются от остальных — такие же ребятишки, которые не понимают, что с ними случилось, им хочется плакать, но они пыжатся и корчат из себя больших и крутых.

Между тем понять совсем нетрудно. Беда в том, что дети верят словам взрослых, а когда сами взрослеют, в отместку врут собственным детям. «Взрослые знают, в чем смысл жизни» — вот всемирное вранье, в которое все обязаны верить. А когда станешь взрослым и поймешь, что это неправда, уже поздно. Тайна так и остается неразгаданной, а энергии больше нет — вся она давно растрачена на глупейшие занятия. Чтобы было не так горько, приходится притворяться, делать вид, будто не видишь, что никакого смысла в твоей жизни не обнаружилось, и обманывать детей в надежде убедить самого себя.

Все, с кем общаются мои родители, прошли один и тот же путь: в молодости старались выжать все, что можно, из своих мозгов, воспользоваться преимуществом хорошего образования и выбиться в элиту, а потом всю жизнь давались диву: почему такой многообещающий дебют привел к такому убогому существованию? Люди пускаются в погоню за звездами, а кончают тем, что трепыхаются, как золотые рыбки в аквариуме. Так не проще ли, спрашивается, с самого начала учить детей, что жизнь абсурдна. Пусть это несколько омрачит детство, зато сбережет немало времени в зрелости да еще, между прочим, предохранит от душевной травмы — я имею в виду аквариум.

Мне двенадцать лет, и я живу в доме номер семь по улице Гренель, в роскошной квартире. У меня богатые родители, богатая семья, и, значит, теоретически мы с сестрой тоже богатые. Мой отец раньше был министром, сейчас он депутат, а когда-нибудь, глядишь, взлетит на самый верх и будет попивать казенное винцо в особняке Лассэ[1].

Мать... Ну, она не блещет интеллектом, зато очень образованная. Доктор филологических наук. Так что пишет приглашения гостям без единой ошибки и вечно пристает к нам с литературными намеками («Коломба, не строй из себя госпожу де Германт», «Ах, золотко мое, ты настоящая Сансеверина»).

Но, несмотря на такое везение и богатство, я давно знаю, что конец один: аквариум. Откуда знаю? Дело в том, что я очень умная. Просто зверски. По сравнению с ровесниками — и говорить нечего! Но поскольку мне вовсе не хочется, чтобы это было заметно, — в семье, где умственные способности ценятся превыше всего, одаренному ребенку не дадут спокойно жить, — я, как могу, стараюсь в школе поменьше проявлять свои таланты, и все

_____

[1] *Особняк Лассэ* — резиденция президента Национального собрания.

равно по всем предметам первая. Можно подумать, что симулировать нормальное развитие, когда ты в двенадцать лет соображаешь на уровне выпускного филологического класса, ничего не стоит. А на деле — ничего подобного! Казаться глупее, чем ты есть, ужасно трудно. Хотя, по крайней мере, не сдохнешь со скуки: ведь чтобы понять и усвоить то, что объясняют в школе, мне требуется совсем не много времени, и неизвестно, куда девать остальное — а тут я все время занята: играю роль типичной отличницы, чтоб было все как полагается: тот же стиль, те же слова, повадки, вкусы и те же мелкие ошибки. Я внимательно изучаю все письменные работы Констанс Борель, второй ученицы в классе, по французскому, математике и истории и мотаю на ус, что и как делать мне: во французском должно быть связное изложение и правильное написание, в математике — механическая запись бессмысленных действий, а в истории — перечисление событий, разбавленное логическими связками. Даже если сравнивать со взрослыми, большинство из них далеко не так умны, как я. Таков факт. Гордиться тут нечем — моей заслуги в этом нет. Но в аквариум я, уж точно, не попаду. Таково мое непоколебимое решение. Судьба даже такой способной, яркой личности, как я, незаурядной и превосходящей основную массу людей, заранее предопределена, и это обидно до слез; почему-то никому не приходит в голову, что если жизнь не имеет смысла, то нет никакой разницы, добьешься ли ты в ней блестящего успеха или окажешься неудачником. Разве что будет житься полегче. Да и то: разумному человеку успех приносит разочарование, тогда как посредственность всегда питает какие-то иллюзии.

Для себя я твердо все решила. Я уже скоро выйду из детского возраста и, несмотря на то что знаю, какая жалкая комедия наша жизнь, вряд ли сохраню трезвость мысли до конца. В людях заложена вера в то, чего нет, потому что они живые существа и не хотят страдать. Вот мы и стараемся изо всех сил внушить себе, что есть некие высшие ценности, которые якобы придают жизни смысл. И, при всем своем могучем интеллекте, я не знаю, как долго смогу противиться этой биологической потребности. Выдержу ли горькое сознание того, что жизнь бессмысленна, когда мне придется включиться во взрослые гонки? Не думаю. Потому-то я и решила: в конце этого учебного года, в день, когда мне исполнится тринадцать лет, то есть шестнадцатого июня, я покончу с собой. Заметьте, трубить об этом, будто о каком-то отважном и дерзком деянии, я, конечно, не собираюсь. Наоборот, мне нужно, чтобы никто ничего не заподозрил. У взрослых истерическое отношение к смерти, они придают ей непомерную важность, разводят вокруг нее всякие церемонии, тогда как это самая обычная вещь на свете. Лично для меня имеет значение не то, что я умру, а то, как это произойдет. Моя японская жилка, естественно, склоняет меня к харакири. Под этой «жилкой» я разумею свою любовь к Японии. Как только у нас в школе начался второй язык, я выбрала, само собой, японский. Правда, учитель попался не ахти, по-французски говорит так, что ни слова не разберешь, и большую часть урока растерянно чешет в затылке, но есть приличный учебник, и я уже неплохо продвинулась с начала года. Надеюсь, еще несколько месяцев — и смогу читать свои любимые манги в оригинале. Мама не понимает, «как это такая умная девочка, как ты, может читать манги!» Я даже не пытаюсь объяснить ей, что слово «манга» по-японски означает просто «комикс». Пусть себе думает, что я сдвинулась на молодежной субкультуре. В общем, я рассчитываю через пару месяцев прочесть по-японски Танигучи[1]. Однако — возвращаясь к нашему предмету — надо успеть до шестнадцатого июня, потому что в этот день я кончаю с собой. Правда не по-японски. Харакири — это, конечно, прекрасно и благородно, но... очень уж больно, а мне не хо-

---

[1] *Хиро Танигучи* — японский художник, автор множества популярных рисованных книжек-манга.

чется мучиться. Мучительная смерть не для меня, наоборот, по-моему, если решаешь умереть и тем более считаешь, что смерть в порядке вещей, то нужно все сделать безболезненно. Смерть должна быть незаметным переходом, мягким скольжением в вечный покой. Некоторые выбрасываются из окна с пятого этажа, травятся кислотой или вешаются. Как глупо! И даже, я бы сказала, непристойно! Ведь умираешь для того, чтобы не страдать? Я к своему уходу готовлюсь основательно: вот уже целый год каждый месяц беру по таблетке снотворного из коробочки в маминой спальне. Она употребляет их в таком количестве, что, верно, не заметила бы, даже если б я таскала по штуке в день, но я предпочитаю не рисковать. Когда задумываешь что-то, чего, скорее всего, никто не одобрит, надо соблюдать крайнюю осторожность. Иначе не успеешь оглянуться, как окружающие набросятся и не дадут тебе исполнить самое заветное желание, вопя при этом о «смысле жизни», «человеколюбии» и прочем идиотизме. Или вот еще о том, что «детство свято!».

Короче говоря, я шаг за шагом приближаюсь к шестнадцатому июня и не испытываю никакого страха. Разве что легкие сожаления. Но в целом этот мир не создан для принцесс. Однако же все это вовсе не означает, что, задумав самоубийство, обязательно надо киснуть, как гнилой помидор. Совсем наоборот. Не важно, что умрешь, не важно, в каком возрасте, важно, за каким занятием тебя застанет кончина. Герои Танигучи умирают во время восхождения на Эверест. У меня нет ни малейшего шанса штурмовать Чогори или Гран-Жорасс до шестнадцатого июня, поэтому моим Эверестом будет интеллектуальная высота. Я задалась целью продумать до этих пор как можно больше глубоких мыслей и записать их в тетрадь: пусть ничто не имеет смысла, но почему бы уму не поизощряться на эту тему? А поскольку во мне сильна японская жилка, я усложнила себе задачу: каждая глубокая мысль должна быть облечена в форму миниатюрного японского стихотворения, хокку (из трех стихов) или танка (из пяти).

Больше всего мне нравится хокку Басё:

Хижина рыбака.
Замешался в груду креветок
Одинокий сверчок[1].

Это вам не тесный аквариум, а настоящая поэзия!

Но в мире, где я живу, поэзии гораздо меньше, чем в хижине японского рыбака. По-вашему, нормально, когда четыре человека занимают квартиру в четыреста квадратных метров, тогда как множество других людей, среди которых, очень может быть, есть проклятые поэты, не имеют приличного жилья и ютятся вдесятером на двадцати? Когда прошлым летом в новостях передали, что несколько африканцев погибли из-за того, что их битком набитый дом загорелся от брошенной на лестнице спички, я подумала вот что. Эти люди каждый день тычутся в стенки своего аквариума, и никакие сказки не заслонят очевидной реальности. А мои родители и сестра, в своей четырехсотметровой квартире, заставленной мебелью и увешанной картинами, воображают, будто плавают в океане.

Так вот, шестнадцатого июня я постараюсь напомнить им об их сардиньем уделе: возьму и подожгу квартиру (с помощью разжигательной жидкости для барбекю). Заметьте, я не убийца, я это сделаю, когда в квартире никого не будет (шестнадцатого июня — суббота, а в субботу вечером Коломба отправляется к Тиберу, мама — на йогу, а папа — в свой клуб, дома остаюсь одна я), кошек выпущу в окно и заблаговременно вызову пожарных, чтобы обошлось без жертв. А сама спокойненько улягусь в маминой кровати и проглочу свое снотворное.

Может, лишившись квартиры и дочери, они задумаются о мертвых африканцах?

---

[1] Перевод Веры Марковой.

Камелии

1. АРИСТОКРАТКА

По вторникам и четвергам ко мне заходит на чай единственная моя подруга Мануэла. Это простая женщина, которая двадцать лет подряд вытирает пыль в чужих домах, но ничуть от этого не остервенела. «Вытирать пыль» — это такой стыдливый эвфемизм. У богатых не принято называть вещи своими именами.

— Я вытряхиваю корзинки с грязными прокладками, — рассказывает она со своим мягким, пришепетывающим акцентом, — подтираю собачью блевотину, чищу птичьи клетки — никогда и не подумаешь, что такие крохотные пташки столько гадят! — мою сортиры. В общем, та еще пыль!

Вот и представьте себе, что к двум часам дня, когда Мануэла спускается ко мне — во вторник от Артансов, а в четверг от де Брольи, — она успевает до блеска отдраить их унитазы, позолоченные, но от этого не менее вонючие и грязные, чем прочие толчки на белом свете, ибо если есть у богачей что-то, что, как ни крути, равняет их с бедняками, так это зловонные кишки, которые должны куда-то извергать свое мерзостное содержимое.

Отдайте же должное Мануэле. Хоть в мире, где одни брезгливо зажимают нос, предоставляя делать грязную работу другим, ей отведена роль жертвы, она не теряет некой душевной утонченности, которая стоит неизмеримо больше любой позолоты, тем паче украшающей отхожее место.

— Подай на стол хоть корочку, да на красивом блюде, — говорит Мануэла и достает из своей старой кошелки светлую плетеную корзиночку, из которой свешиваются уголки шелковистой пунцовой бумаги, там, словно в гнездышке, лежат миндальные пирожные. В одну чашку я наливаю кофе — пить его мы не будем, но нам обеим нравится вдыхать кофейный аромат, в две другие — зеленый чай, и мы принимаемся молча потягивать его, заедая хрустящими пирожными.

Мануэла точно такое же ходячее нарушение стереотипа прислуги-португалки, как я — стереотипа консьержки, только сама не ведает об этом отступничестве. Она появилась на свет в Фаро, под фиговым деревом, из материнской утробы, что родила еще семерых детей до и шестерых после этой дочери; сызмала работала от зари до зари в поле, очень рано была отдана в жены каменщику, который вскоре уехал во Францию; у нее четверо детей, французов по праву рождения, но в глазах французов все равно португальцев. Так вот, Мануэла, во всем, от косынки на голове до черных эластичных чулок, типичная крестьянка из Фаро, — это самая настоящая, чистейшая аристократка, которая ни на что не ропщет, потому что для нее, отмеченной печатью душевного благородства, предрассудки и титулы ровно ничего не значат. Что такое аристократка? Та, кого не затрагивает пошлость, даже если окружает ее со всех сторон.

Пошлость воскресных семейных застолий, со смачным хохотом, скрывающим обиду безвинно попранных людей, которым не на что надеяться; пошлость нищего быта, такого же мертвяще-скучного, как неоновый свет в заводских цехах, куда мужчины каждый день бредут, точно тени в ад; пошлость работодательниц, чью низость не прикроют никакие деньги и которые обращаются с ней хуже, чем с шелудивой собакой. И надо видеть Мануэлу, преподносящую мне торжественно, как королеве, плоды своего кондитерского искусства, чтоб оценить ее великодушие. Да-да, как королеве. Стоит появиться Мануэле — и привратницкая становится дворцом, а наша бедная пирушка — королевской трапезой. Подобно сказочнику, который превращает серую жизнь в сияющую феерию, Мануэла умеет наполнить обыденность сердечным теплом и весельем.

— Сынок Пальеров поздоровался со мной на лестнице, — вдруг говорит она, прерывая молчание.

Я фыркаю и пожимаю плечами:

— Начитался Маркса.

— Маркса? — переспрашивает Мануэла, и «кс» звучит у нее почти как «ш», мягкое и ласковое, как ясное небо.

— Это отец коммунизма, — уточняю я.

— Политика, — презрительно морщится Мануэла. — Игрушка для богатых деток, которой они ни с кем не поделятся. — И, подумав, поднимает бровь. — Странно, обычно он читает совсем другие книжки.

Кто-кто, а Мануэла отлично знает, какие журнальчики молодые люди прячут под матрас, и сынок Пальеров одно время такой литературой очень увлекался, причем имел свои пристрастия, судя по замусоленной страничке с красноречивым заголовком: «Маркизы-озорницы».

Мы с Мануэлой смеемся и еще какое-то время болтаем о том о сем как две добрые подружки. Я страшно люблю эти наши посиделки, и у меня сжимается сердце при мысли о том дне, когда исполнится мечта Мануэлы и она уедет на родину насовсем, а я останусь тут дряхлеть в одиночку, и некому будет дважды в неделю возводить меня в ранг тайной королевы. И еще я со страхом думаю о том, что, когда уедет Мануэла, моя единственная за всю жизнь подруга, единственный человек, который все понимает, хоть никогда ни о чем не спрашивает, ее отъезд, пожалуй, станет концом, саваном забвения для той, кого никто не знает.

В парадном послышались шаги и характерный звук — кто-то нажал кнопку лифта, старого подъемника с черной сеткой и кабиной с откидными дверцами, обитой кожей и обшитой деревом — ни дать ни взять старинная карета, не хватает лишь грума, вот только места для него не предусмотрено. Шаги знакомые — это Пьер Артанс с пятого этажа, гастрономический критик с замашками олигарха в худшем смысле слова: каждый раз, когда ему случается заглянуть в привратницкую, он щурится, как будто я живу в темной пещере, хотя его собственные глаза свидетельствуют об обратном.

А эти его знаменитые статьи, читала я их...

— Лично я ни слова не поняла, — так говорит о них Мануэла. Сама она считает, что хорошее жаркое само за себя говорит.

Да и нечего там понимать. Жалко смотреть, как такой талант растрачивается понапрасну из-за слепоты его обладателя. Пьер Артанс может написать несколько страниц, допустим, о помидорах, причем написать блестяще — под его пером критическая статья превращается в увлекательный рассказ, что само по себе поразительно большое искусство, — но так, как будто автор никогда *не видел, не держал в руках* простого помидора, и потому написанное производит впечатление плачевных потуг на живость. Как можно быть столь даровитым и в то же время столь слепым ко всему, что тебя окружает? — часто думала я, когда он, гордо задрав свой внушительный нос, проходил мимо меня. Выходит, можно. Некоторые хоть и смотрят на мир, но не способны ощутить живую субстанцию, аромат всего сущего, о людях они разглагольствуют так, словно это автоматы, а о вещах — будто все они бездушны и их можно исчерпать словами, произвольно взятыми из головы.

Как нарочно, шаги вдруг приблизились, еще миг — и Артанс звонит в мою дверь.

Я встаю и иду открывать, не забывая шаркать ногами в таких классических тапочках, что только связка берета с длинным батоном могла бы поспорить с ними в соответствии шаблону. Шаркаю и отлично понимаю, что вывожу из терпения Мэтра, являющего собою образец пресловутой нервозности крупных хищников, поэтому старательно приоткрываю дверь как можно медленнее и опасливо высовываю нос, надеюсь красный и лоснящийся, как полагается.

— Мне должны доставить пакет, — говорит Артанс, прищурясь и стараясь не дышать. — Вы могли бы сразу же принести его?

Сегодня на благородной шее месье Артанса красуется завязанный бантом шелковый шарф в горошек, который ему совсем не идет — легкие пышные складки в сочетании с львиной гривой напоминают воздушную балетную пачку и лишают его наружность всякой брутальности, которую сильная половина человечества почитает своим украшением. А кроме того, что, черт возьми, напоминает мне этот шарф? Есть, вспомнила — и еле сдерживаюсь, чтоб не улыбнуться. Конечно же, шарф Легрантена. Легрантен — герой романа «В поисках утраченного времени» небезызвестного Марселя — тоже своего рода консьержа, — сноб, который разрывается между двумя кругами: тем, где вращается, и тем, куда хочет проникнуть, — напыщенный сноб в таком же шарфе, чутко отражающем все оттенки его эмоций, от надежды до обиды и от раболепства до высокомерия. Однажды на площади в Комбре он столкнулся с родными повествователя, здороваться с ними ему не хотелось, а избежать встречи не получалось, и вот он распускает шарф по ветру, что должно послужить знаком рассеянно-меланхолического настроения и избавить его от нормальных приветствий.

Пьер Артанс, который Пруста, разумеется, читал, но не проникся от этого особой симпатией к консьержам, нетерпеливо покашливает.

Итак, он спросил меня: «Вы могли бы сразу же принести его?» (Имеется в виду пакет, который принесет курьер, — не может же корреспонденция такого важного лица прийти обычной почтой.)

— Да, — отвечаю я в рекордно краткой форме, адекватной форме вопроса, в котором, на мой взгляд, сослагательное наклонение не искупает отсутствие слова «пожалуйста».

— И поосторожней, прошу вас, это хрупкая вещь, — добавляет Артанс.

Сочетание безличного понукания с «прошу вас» мне тоже не очень понравилось, тем более что Артанс явно считает меня нечувствительной к стилистическим тонкостям и выражается таким образом вполне сознательно, его учтивости просто не хватает на то, чтобы предположить, будто это может меня оскорбить. Если богач формально обращается к вам, но по голосу его ясно, что фактически он говорит скорее сам с собой и даже не ждет, что вы его поймете, значит, вы просто ил на дне общественной лужи.

— Как это — хрупкая? — спрашиваю я не слишком любезно.

Он обреченно вздыхает, и меня обдает легким запахом имбиря.

— Это инкунабула, — говорит он, уставясь мне в глаза (я в меру сил придаю им стеклянность) самодовольным взглядом сытого собственника.

— Господи, твоя воля, — говорю я брезгливым тоном. — Не беспокойтесь, как курьер придет, так я ее вам мигом доставлю.

И захлопываю дверь.

А про себя смеюсь — представляю, как вечером Пьер Артанс будет потешать за столом гостей рассказом о том, как возмутилась его консьержка, услышав слово «инкунабула», — ей, верно, померещилось что-то неприличное.

Один Бог знает, кто из нас двоих больше достоин насмешки.

Дневник всемирного движения
Запись № 1

Уйти в себя и не терять трусов.

Регулярно записывать глубокие мысли, конечно, прекрасно, но, боюсь, этого недостаточно. То есть что я имею в виду: раз я собираюсь через несколько месяцев покончить с собой и спалить квартиру, то времени у меня не так много, и надо в оставшийся срок успеть сделать что-нибудь значительное. Кроме того, я словно бы проверяю сама себя: если уж кончаешь жизнь самоубийством, надо быть уверенной, что поступаешь правильно, зачем же зря поджигать квартиру! Если на свете есть что-нибудь такое, что имеет смысл пережить, я не должна этого упустить, потому что, во-первых, когда умрешь, жалеть будет поздно, а во-вторых, умирать, потому что ошиблась, слишком глупо.

Ну так вот, глубокие мысли — это само по себе. Но там я в своем амплуа — умничаю (и издеваюсь над другими умниками). Не всегда удачно, но занятно. И я подумала: чтобы не было перекоса, надо уравновесить эту «игру ума» другим дневником, где говорилось бы о чем-то телесном или вещественном. Пусть это будут не глубокие мысли, а перлы материи. Что-то плотное, осязаемое. Но в то же время красивое, прекрасное. Кроме любви, дружбы и Искусства, я что-то не вижу ничего, что могло бы наполнить человеческую жизнь. До настоящей любви и дружбы я еще не доросла. Но Искусство... если бы я продолжала жить, то жила бы только им. Поймите меня правильно: под Искусством с большой буквы я подразумеваю не только шедевры великих мастеров. Даже за Вермеера держаться не стану. Все это, конечно, замечательные произведения, но они мертвые. Нет, я имею в виду прекрасное в мире, то, что может открыть нам движение жизни. И этот «Дневник всемирного движения» будет посвящен движению людей, одушевленных или, за неимением лучшего, неодушевленных предметов и поискам чего-то до такой степени прекрасного, что придало бы ценность жизни. Поискам красоты, гармонии, энергии. Если такое найдется, я, может быть, пересмотрю свои планы: если вместо прекрасной умозрительной идеи найду прекрасное движение физических тел, то, может, все-таки решу, что жизнь достойна того, чтобы ее прожить.

Идея вести два дневника (один для ума, другой для тела) возникла у меня вчера, когда папа смотрел по телевизору регби. Обычно в таких случаях я сама больше смотрю на папу. Это очень забавно: он сидит на диване перед экраном в рубашке с засученными рукавами, без носков, вооружившись банкой пива и тарелкой колбасы, и, кажется, у него на лбу написано: «Глядите! Я и таким тоже могу быть!» Видимо, ему не приходит в голову, что один стереотип (серьезный государственный муж, министр), помноженный на другой (свой парень, не дурак хлебнуть пивка), дает стереотип в квадрате. Так вот, вчера, в субботу, папа вернулся пораньше, зашвырнул подальше свой портфель, скинул носки, закатал рукава, сходил на кухню за пивом, включил телевизор, рухнул на диван и сказал мне: «Пожалуйста, принеси колбаски, а то, боюсь, пропущу хаку». Ну, что касается хаки, то я прекрасно успела порезать и принести колбасу, а она еще и не начиналась — всё крутили рекламу. Мама с презрительным видом присела на подлокотник (тоже стереотип: в такой семье жене положено быть занудой-интеллектуалкой левых взглядов) и пристает к отцу с какой-то сложной затеей: устроить званый ужин, чтоб помирить на нем две разругавшиеся пары. Зная, какой из моей матушки тонкий психолог, смешно подумать, чем это кончится. Я отдала папе колбасу и, поскольку Коломба у себя в комнате слушала умеренно авангардную музыку, модную в богатых кварталах, подумала: а что, чем хуже хака? Мне смутно помнилось, что это какая-то шуточная пляска, которую новозеландская команда всегда исполняет перед матчем. Что-то вроде устрашения противника на обезьяний лад. А само регби — грубая игра, где игроки только и делают, что валят друг друга на траву, падают, вскакивают и тут же сцепляются снова.

Реклама наконец закончилась, и после титров на фоне катающихся по траве здоровенных детин показали стадион с голосами комментаторов за кадром, потом комментаторов крупным планом (все, как на подбор, не дураки поесть) и опять стадион. На поле вышли игроки, и тут на меня накатило. Я не сразу разобралась, в чем дело: на экране вроде бы ничего особенного, но со мной творилось что-то странное, я чувствовала какое-то покалывание, и у меня, как говорится, захватило дух, будто я чего-то лихорадочно ждала. Папа тем временем успел выдуть банку пива и просил маму, которая поднялась со своего насеста, принести вторую, собираясь дать волю галльскому темпераменту. А меня все не отпускало. Я силилась понять, что происходит, пялилась на экран, но не могла сообразить, что же такого я вижу и откуда эти колючие мурашки.

Все стало понятно, когда новозеландцы принялись отплясывать свою хаку. Среди них был один совсем молодой высоченный игрок маори. Он-то и привлек мое внимание — сначала, наверно, высоким ростом, но потом еще и какой-то необычной манерой двигаться. Движения его отличались особой плавностью, а главное, оставались движениями в себе. Большинство людей передвигаются в пространстве с определенной целью. Вот, например, как раз сейчас, когда я это пишу, мимо меня, волоча брюхо по полу, идет наша кошка по кличке Конституция. У этого создания нет осознанной цели всей жизни, но в данный момент она идет в определенном направлении, скорее всего, к креслу. И сама манера двигаться говорит об этом: она идет куда-то. А вот прошла в переднюю мама, она собирается в поход по магазинам и уже наполовину ушла, стремление обгоняет движение. Не знаю, как бы это лучше объяснить, но когда мы передвигаемся, то словно разорваны этим целенаправленным движением: мы еще здесь, но уже не вполне, поскольку куда-то устремлены, понимаете? Чтобы не распадаться, надо совсем не двигаться. Или ты двигаешься и разрываешься, или остаешься цельным, но тогда совсем не двигаешься. А этот игрок… я сразу, как только он появился на поле, почувствовала, что он чем-то не похож на других. Впечатление было такое, как будто, двигаясь — он двигался, а как же! — он оставался на месте. Скажете, нелепость? Когда началась хака, я не сводила с него глаз. Конечно же, он совсем не такой, как все. Вот и обжора № 1 говорит: «Сомю, великолепный новозеландский замыкающий, как всегда, впечатляет своим богатырским телосложением: рост — два метра семь сантиметров, вес — сто восемнадцать килограммов, такое прелестное дитя!» Ну да, все смотрят на него как завороженные, но никто толком не знает почему. А ведь теперь, в хаке, это прямо-таки бросалось в глаза: он делал те же движения, что и все остальные (хлопал себя по ляжкам и по локтям, отбивал ногой ритм, глядя в лицо противнику, как разъяренный воин), но, если жесты его товарищей были направлены в сторону соперников и зрителей, то его — оставались при нем, были жестами в себе, и это придавало ему невероятную энергию, невероятную интенсивность. И вот хака, воинственная пляска, развернулась во всю силу. А в воине ценна не та сила, которую он расточает, устрашая врага грозными воплями и жестами, а та, которую он способен сосредоточить в себе, не выпуская ее наружу. Молодой маори превращался в дерево, в огромный несокрушимый дуб с мощными корнями и широко раскинутой кроной, это чувствовали все. Однако было совершенно ясно, что этот огромный дуб может взмыть и полететь с быстротой ветра, несмотря на свои могучие корни, вернее, благодаря им.

Дальше я стала жадно вылавливать глазами такие моменты матча, когда кто-нибудь из игроков весь превращался в чистое движение, а не разрывался на куски, устремляясь куда-то. И выловила их немало! Они встречались в разных положениях: то один игрок из схватки вдруг укоренялся, становился точкой равновесия, прочным компактным якорем, который придавал устойчивость всей группе; то другой во время прорыва так удачно разгонялся, что, не думая о цели и сросшись с мячом, весь вкладывался в движение и бежал, словно осененный благодатью; то бомбардир, отрешившись от всего окружающего, в бессознательном наитии направлял удар с идеальной точностью. Но никто не мог превзойти статного маори. Когда он успешно провел первый занос, папа ошеломленно застыл и даже забыл о своем пиве. Он болел за французов и, кажется, должен был расстроиться, но вместо этого хлопнул себя по лбу и выдохнул: «Ну дает!» Комментаторы и те, пусть с досадой в голосе, не могли не признать, что видели чудо: маори пронесся через все поле парящим бегом, оставив других игроков далеко позади. А те выглядели нелепо дрыгающимися в жалких потугах догнать его фигурками.

И тогда я подумала: вот оно, я открыла, что в мире бывает абсолютное движение, стоит ли ради этого продолжать жить?

Как раз в эту минуту у одного из французских игроков, участвовавших в моле, соскочили трусы, и это вызвало такое буйное веселье трибун, что мне стало мерзко; даже мой отец, чьи предки двести лет воспитывались в строгом протестантском духе, поперхнулся пивом и зашелся от хохота. Меня такое кощунство оскорбило.

Нет, одного случая мало. Чтобы переубедить меня, нужно, чтобы это движение проявлялось еще и еще. Но по крайней мере, я получила представление о нем.

2. О ВОЙНАХ ДА КОЛОНИЯХ

В самом начале я сказала, что нигде не училась. Это не совсем так. Но мое образование не пошло дальше начальной школы, а перед экзаменом в среднюю мне пришлось маскироваться, чтобы рассеять подозрения месье Сервана, нашего учителя: когда мне было только десять лет, он как-то раз меня застукал — я с жадностью читала его газету, а там писали только о войнах да колониях.

Почему я не пошла учиться дальше? Сама не знаю. Думаете, смогла бы? Ответить мог бы разве что оракул. Меня мутило при одной мысли о том, чтобы мне, голодранке, без всякой красоты и обаяния, без роду-племени и без амбиций, неотесанной и не умеющей шагу ступить на людях, соваться в мир баловней судьбы и соревноваться с ними, — так что я и не пыталась. Я хотела только одного: чтобы меня оставили в покое, ничего от меня не требовали и чтобы каждый день можно было выкроить немножко времени для утоления моего ненасытного голода.

Когда у тебя нет потребности в пище и вдруг на тебя нападает голод, то это и мучение, и просветление. В детстве я была вялой, почти калекой — сутулой, чуть ли не горбатой, и безропотно жила в полном убожестве, потому что знать не знала, что есть какая-то другая жизнь. Полное отсутствие воли граничило с небытием — ничто не вызывало во мне интереса, ничто не прерывало дремоты; меня, как травинку в море, несло куда-то по прихоти неведомых сил; при такой бессознательности не могло зародиться даже желание со всем покончить.

Дома у нас почти не разговаривали. Дети вопили, а взрослые занимались каждый своим делом, как будто нас и вовсе не было. Мы ели простую и грубую пищу, но досыта, нас не обижали, одевали по-бедняцки, но в чистые и тщательно залатанные одежки, так что мы могли их стыдиться, зато не мерзли. Но речи мы почти не слышали.

Свет просиял, когда в пять лет я первый раз пошла в школу и с удивлением и страхом услышала чужой голос, обращенный ко мне и назвавший мое имя.

— Ты Рене? — спросил этот голос, и чья-то рука ласково опустилась мне на плечо.

Это было в коридоре, нас собрали там в первый день учебного года, поскольку на улице шел дождь.

— Рене? — повторил мелодичный голос откуда-то сверху, а рука все так же, легко и нежно, поглаживала мое плечо — язык прикосновений был мне совершенно неизвестен.

Я подняла голову — движение такое непривычное, что мне едва не стало плохо, — и встретила взгляд.

Рене. Это же я. Впервые кто-то позвал меня по имени. Родители обычно просто призывно махали рукой или односложно меня окликали, и, когда эта незнакомая женщина — первым, что я увидела, были ее светлые глаза и улыбка — произнесла мое имя, душа моя распахнулась перед ней, она внезапно стала мне так близка, как никто и никогда прежде. Мир вокруг обрел цвет. В болезненной вспышке встрепенулись все чувства: я услышала шум дождя, увидела стекающие по оконным стеклам струи, ощутила запах мокрой одежды, тесноту коридора, в котором кишела ребятня, подивилась мерцающему блеску старинных медных крючков в раздевалке, где висели гроздья пальтишек из плохонького сукна, и высоким — на детский взгляд, до самого неба — потолкам.

Испуганно уставясь на учительницу, которая заставила меня заново родиться, я вцепилась в ее руку.

— Давай-ка снимем твою куртку, Рене, — предложила она и, крепко придерживая, чтоб я не упала, быстро и сноровисто раздела меня.

Многие думают, что сознание просыпается в тот миг, когда мы рождаемся, но это заблуждение, которое объясняется, скорее всего, тем, что мы не можем представить себе живое, но лишенное сознания существо. Нам кажется, что мы всегда умели видеть и чувствовать, поэтому мы уверенно отождествляем появление на свет с появлением сознания. Вот, однако же, опровержение этой ошибочной теории: некая девочка, Рене, вполне исправное воспринимающее устройство, наделенное зрением, слухом, обонянием, вкусом и осязанием, могла пять лет прожить, ни в коей мере не осознавая ни себя, ни окружающий мир. На самом деле сознание включается тогда, когда произносится имя.

Меня же, по несчастному стечению обстоятельств, никто и не думал называть по имени.

— Какие красивые глазки, — сказала учительница, и я знала, что она не лжет, — в тот миг в моих глазах сияла открывшаяся им красота, в них отражалось и искрилось чудо моего рождения.

Я затрепетала от счастья и попыталась углядеть в ее глазах отклик разделенной радости. Но в мягком, благожелательном взоре читалось только сострадание.

Вот так, всего лишь с жалостью, принимал новорожденную мир.

Меня же обуяла страсть познать его.

Поскольку нормальный способ утолить свой голод путем общения с людьми был мне, дикарке, недоступен, — позднее я поняла, почему моя спасительница смотрела на меня так жалостливо: можно ли ждать, чтобы бедность познала упоение словом и научилась владеть им наравне с другими? — оставалось поглощать книги. Никогда раньше я не держала их в руках. А тут увидела, как школьники постарше, все одинаково, как будто движимые одной и той же силой, впиваются глазами в невидимые мне следы и, идя по ним в полном молчании, кажется, извлекают из мертвой бумаги что-то живое.

Тайком от всех я научилась читать. Учительница все еще учила других новичков складывать буквы, а я уже давно постигла премудрость сопряжения значков на бумаге, их бесконечные комбинации и дивные звуки, в которые они обращаются и которыми в самый первый день, услышав свое имя, я была, как рыцарь шпагой, посвящена в школьный орден. Никто об этом не знал. Я читала как одержимая, сначала прячась от других, потом, когда сочла, что прошло достаточно времени, чтобы мое умение не казалось чем-то особенным, у всех на виду, но только тщательно скрывая, как увлекало меня это занятие и какое удовольствие мне доставляло.

Недоразвитый ребенок превратился в пожирателя знаний.

В двенадцать лет я бросила школу и стала работать по дому и в поле, как мои родители и старшие братья и сестры. А в семнадцать вышла замуж.

3. ПУДЕЛЬ-ТОТЕМ

В коллективном воображаемом консьержу с консьержкой, неразделимой паре, состоящей из таких ничтожных половинок, что порознь их и не заметишь, положено держать пуделя. Всем известно, что пудель — это курчавая собачонка, которую заводят мелкие лавочники на покое, одинокие дамы, которым больше не о ком заботиться, да консьержи из богатых домов, ютящиеся в полутемных закутках. Пудели бывают черные и абрикосовые. У абрикосовых больше блох, а от черных больше воняет. Те и другие истерически лают по каждому поводу, а еще охотнее — без всякого повода. Они семенят за хозяином, перебирая негнущимися лапками под неподвижным, похожим на сосиску тельцем. А уж глаза-то — черные, маленькие, злобные и глубоко запрятанные в шерсть! Пудели глупы и уродливы, покорны и кичливы. Одним словом, это пудели.

А раз пудель признан тотемом всего привратницкого племени, выходит, что супруги-консьержи точно так же, как и он, не умеют любить, не имеют желаний и так же глупы, уродливы, покорны и кичливы. Есть книжки, где принцы влюбляются в работниц или принцессы — в каторжников, но чтоб консьерж влюбился в своего коллегу,

40

пусть даже противоположного пола, как бывает со всеми людьми, и их роман был где-нибудь описан — такое просто невозможно!

Мы с мужем никогда не держали пуделя, мало того, наш брак, смею сказать, был на редкость счастливым. С ним я была сама собой. Приятно и грустно вспоминать ранние воскресные часы, благословенные уже потому, что то было время законного отдыха, когда мой муж пил на кухне кофе, а я сидела рядом и читала.

Я вышла за него в семнадцать лет, после короткого, но недвусмысленного ухаживания. Он работал на заводе вместе с моими старшими братьями и иногда по вечерам заглядывал к нам выпить кофейку или чего-нибудь покрепче. Я, к сожалению, была безобразна. И это бы еще не беда, будь мое безобразие таким же, как у других. Но в том-то и дело, что оно было исключительным; во мне, еще совсем молоденькой, не чувствовалось ни капли свежести, так что уже в пятнадцатилетней девчонке проглядывала тетка лет пятидесяти. Обаяние юности украшает любую дурнушку, оно могло бы искупить и все мои изъяны: сутулую спину, бесформенное тело, короткие, корявые, страшно волосатые ноги, невыразительные, рыхлые — ни красоты, ни милоты — черты лица, но где там — в двадцать лет меня легко было принять за старуху.

Поэтому, когда намерения моего будущего мужа стали вполне очевидными и делать непонимающий вид не имело смысла, я решила объясниться с ним начистоту, первый раз за всю жизнь позволив себе открыться чужому человеку, и призналась, что меня удивляет, как это ему вздумалось на мне жениться.

Я была предельно искренна. Сказала, что давно смирилась с тем, что останусь одинокой. Что ясно понимаю: в нашем обществе бедная, некрасивая да еще и умная женщина обречена на незавидное существование, к которому полезно привыкать как можно раньше. Красоте прощается все, даже тупость. А если к ней приложен и ум, то он уже не справедливая компенсация, которую природа, восстанавливая равновесие, дарует самым обделенным из своих детей, а безделушка, роскошь, побочный довесок к сокровищу. Уродство же всегда виновно, и мне выпала злая участь, а тем, что я не дура, она лишь усугублялась.

— Вот что, Рене, — заговорил он очень серьезным тоном. И произнес длинную тираду, истратив на нее все свои ораторские способности, — больше таких излияний мне не приходилось слышать от него за всю жизнь. — Я не хочу жениться на какой-нибудь дурехе с куриными мозгами в хорошенькой головке, которая зачем-то корчит из себя бесстыдницу. Мне нужна хорошая, верная жена, хорошая мать семейства и хорошая хозяйка. Мирная, надежная спутница жизни, которая будет мне опорой и никогда меня не бросит. Взамен могу пообещать, что буду прилежным кормильцем, добрым семьянином, ну и без ласки не оставлю.

Все это он выполнил.

Он был приземистый и сухощавый, точно вязовый пень, но на лицо приятный и улыбчивый. Не пил, не курил, деньги не мотал, пари не заключал. Дома после работы смотрел телевизор, листал журналы по рыболовству или играл в карты с заводскими приятелями. Любил иной раз пригласить гостей. По воскресеньям ходил на рыбалку. А я вела хозяйство — муж не хотел, чтоб я работала в чужих домах.

Он был по-своему талантлив, хотя талант такого рода не высоко котируется в обществе. Все, на что он был горазд, — это мастерить, зато уж мастерство тут было настоящее, а не просто техническая сноровка; ему не хватало образования, но он вносил во все, за что брался, живую искру, — ту, что в прикладном деле отличает художника от ремесленника, а в искусстве слова показывает, что знания — еще не всё. Я с детства свыклась с мыслью, что мне предстоит прожить всю жизнь как монашке, и теперь благодарила небо, милостиво подарившее мне в супруги такого хорошего человека, да, неученого, но вовсе не глупого.

А то попался бы кто-нибудь вроде Грелье! Бернар Грелье — один из немногих обитателей дома номер семь по улице Гренель, перед которыми мне не страшно себя выдать. Скажи я: «В „Войне и мире“ воплощен детерминистский подход к истории», или: «Хорошо бы смазать петли на двери чулана с мусорными баками», — он не уловит смысла ни в том, ни в другом. До сих пор не понимаю, каким чудом второе высказывание все же побуждает его к нужному действию. Как можно что-то делать, если ничего не понимаешь? Или такие указания не требуют участия разума и подобны внешним импульсам, которые включают рефлекторную дугу спинного мозга без всякого участия головного? Может быть, призыв смазать петли, не подвергаясь осмыслению, совершенно механически передается рукам и ногам?

Бернар Грелье — муж Виолетты Грелье, которую Артансы величают экономкой. Она поступила к ним на службу тридцать лет тому назад как простая горничная и поднималась в должности по мере того, как богатели хозяева; сегодня, в ранге экономки, она управляет крошечным штатом, в который входят приходящая прислуга (Мануэла), дворецкий-англичанин, которого нанимают по торжественным случаям, да лакей на побегушках (ее собственный муж), — и по примеру выбившихся в крупные буржуа хозяев презирает разную мелкую сошку. Целыми днями трещит без умолку, мечется во все стороны с важным видом, школит челядь, как при версальском дворе, и надоедает Мануэле напыщенными рассуждениями о том, что работать следует на совесть и что нынче перевелись хорошие манеры.

— Она уж точно не читала Маркса, — сказала как-то Мануэла.

Я была сражена таким метким замечанием в устах прислуги-португалки, мало знакомой с трудами философов. Да уж, Маркса Виолетта Грелье, бесспорно, не читала, поскольку это имя не встречается в названиях средств для чистки столового серебра в богатых домах. Зато она каждый день подробно изучала глянцевые каталоги сортов крахмала и кухонных тряпок из натурального льна.

В общем, замуж я вышла удачно.

И очень скоро призналась мужу в самом большом своем грехе.

Глубокая мысль № 2

Кошка в этом мире —
Украшение дома?
Скорей современный тотем.

Во всяком случае, у нас это именно так. Тому, кто хочет узнать нашу семью, достаточно взглянуть на пару наших кошек. Два толстенных бурдюка, набитые сухим кормом экстра-класса и совершенно безучастные ко всем и ко всему на свете. Валяются себе на диванах, везде оставляют свою шерсть, и, кажется, никто в семье не понимает, что мы все им совершенно безразличны. Обычно кошек держат исключительно как живое украшение дома — аспект, весьма, на мой взгляд, любопытный, однако наших кошек с отвисшими до полу животами в таком качестве вряд ли можно рассматривать.

Моя мать, которая прочитала всего Бальзака и за каждым обедом цитирует Флобера, — наглядное доказательство того, что образование — вопиющее надувательство. Достаточно посмотреть, как она обращается с кошками. Она, конечно, смутно понимает, что кошки — часть декора, но упорно разговаривает с ними, как с людьми, между тем вряд ли ей пришло бы в голову беседовать с настольной лампой или этрусской статуэткой. Говорят, дети довольно долго верят, что все, способное двигаться, наделено душой и сознанием. Мама давно не девочка, и все-таки она никак не может уяснить, что у Конституции и Парламента разума не больше, чем у пылесоса. Допустим, между ними и этим бытовым предметом есть большая разница, и выражается она в том, что кошки способны испытывать удовольствие и боль. Но следует ли из этого, что они также способны общаться с людьми? Вовсе нет. Это

45

означает только, что они, как хрупкие предметы, требуют осторожного обращения. Смешно слышать, как мама говорит: «Конституция — такая гордая и такая чувствительная кошечка!» — а та обожралась и лежит на диване кверху брюхом. Однако если поразмыслить над гипотезой о том, что кошка выступает в роли современного тотема, символического воплощения и хранителя домашнего очага, который в несколько смягченном виде отражает суть всех членов семейства, то все встает на свои места. Мама приписывает кошкам качества, которые хотела бы видеть в нас, но которых у нас нет как нет. Менее гордых и чувствительных созданий, чем троица Жоссов: папа, мама и Коломба, — на свете не сыщешь. Все они крайне вялые, заторможенные и бесчувственные.

В общем, на мой взгляд, кошка — современный тотем. Сколько бы ни произносили громких речей об эволюции, цивилизации и прочих «-ациях», человек не так уж далеко ушел от своих предков: он по-прежнему верит, что живет на свете не случайно и что его судьбой занимаются боги, по большей части благосклонные.

4. ОТКАЗАВШИСЬ ОТ БОРЬБЫ

Я прочла столько книг...

Но, как все самоучки, всегда сомневаюсь, правильно ли их поняла. То мне представляется, что я могу окинуть взором всю громаду знаний и все, чего я нахваталась, сплетается в единый узор, в разветвленную сеть, то вдруг смысл исчезает, суть ускользает, и, сколько я ни перечитываю строчки, они только становятся все невнятнее, а я сама себе кажусь полоумной старухой, которая от корки до корки прочитала меню и думает, что у нее от этого наполнился желудок. Наверное, такое сочетание проницательности и слепоты — специфика самоучек. Оно лишает их надежных вех, которые дает хорошее образование, зато наделяет способностью мыслить свободно, широко, тогда как дисциплинированный ум расставляет перегородки и не допускает вольностей.

И вот сегодня утром я растерянно сижу на кухне перед раскрытой книжкой. Происходит как раз то самое: я остро чувствую безумие затеи постичь все в одиночку и почти готова отступиться, но что-то говорит мне, что я наконец-то нашла своего учителя.

Его зовут Гуссерль — ничего себе имечко, домашнего любимца или марку шоколада так не назовут, в нем слышится что-то по-прусски тяжеловесное. Но что из этого! Уж я-то, при моем опыте, научилась не придавать значения неблагозвучности мировой философии. И если вы все еще воображаете, что старость, уродство, вдовство и работа консьержки превратили меня в убогое создание, смирившееся со своей жалкой участью, то воображение у вас довольно скудное. Да, я забилась в угол, отказавшись от борьбы. Но укрытый в надежном убежище ум не отступит ни перед каким вызовом. Хоть по имени, положению и внешности я полное ничтожество, но по ясности ума — всемогущая богиня.

А этот Эдмунд Гуссерль — для модели пылесоса, вот для чего, по моему соображению, подходит его имя — грозит сбросить меня с домашнего Олимпа, на котором я неизменно восседаю.

— Ничего-ничего, — подбадриваю я себя, — каждая задача имеет решение, верно?

Я обращаюсь за поддержкой к коту.

Но он, неблагодарный, не отвечает. Слопал здоровенный ломоть паштета и знай себе благодушно полеживает в кресле.

— Ничего, ничего, ничего... — глупо бормочу я и снова озадаченно гляжу на маленькую книжонку.

«Картезианские размышления. Введение в феноменологию». Уже по одному названию и по первым страницам становится ясно: тому, кто не читал Декарта и Канта, не стоит приниматься за философа-феноменолога Гуссерля. Однако столь же быстро понимаешь, что знание Декарта и Канта не очень-то приближает к пониманию трансцендентальной феноменологии.

А жаль. К Канту, в силу многих причин, я питаю особое пристрастие: не только потому, что его учение — дивная смесь таланта, дисциплины и безумия, но еще и потому, что при всем аскетизме слога смысл того, что он пишет, всегда был для меня совершенно прозрачен. Трактаты Канта — великие книги, доказательство — то, что они успешно проходят тест-мирабель[1].

Этот тест обезоруживающе прост и нагляден. Основан он на неоспоримой истине: когда откусываешь плод, приходит понимание. Чего? Да всего. Понимаешь весь долгий путь созревания человечества: на первых порах оно просто выживало, потом вкусило удовольствие, потом увлеклось погоней за ложными благами, отвращающей от исконной тяги к простому и высокому, погрязло в пустословии и, наконец, дошло до страшного, медленного, неизбежного угасания, но, несмотря на все это, достигло того чудного накала чувств, который открывает людям восторг и неотразимую красоту искусства.

Тест-мирабель проходит у меня на кухне. Я кладу на покрытый пластиком стол сливину и книгу, а потом одновременно беру в рот мирабель и открываю первую страницу. Если две мощных волны ощущений не разбивают друг друга: мирабель не портит впечатление от текста, а текст не отбивает вкус мирабели, — я понимаю, что передо мной что-то значительное и даже исключительное, потому что произведений, которые не померкли бы,

---

[1] Вообще-то так называется во Франции бесплатный тест, с помощью которого телефонная станция проверяет исправность линии.

не стали смешными и пресными рядом с сочным взрывом золотистого шарика, совсем не много.

Но все мои познания в кантианстве не помогают разобраться в дебрях феноменологии, приходится признаться Льву:

— У меня кишка тонка!

Делать нечего. Придется пойти в библиотеку и поискать там что-нибудь, вводящее в курс дела. Я не люблю всяких комментариев и сокращенных изложений — они загоняют читателя в тесную академическую колею. Но в данном случае не отвертишься, слишком все серьезно. Феноменология мне не дается, но я ее одолею!

Глубокая мысль № 3

В нашем мире
Тот силен,
Кто ничего не делает,
А только
Треплет языком.

Такова моя глубокая мысль, но породила ее другая, и тоже глубокая. Ее высказал вчера за ужином один из папиных гостей. «Кто умеет что-то делать — делает, кто не умеет делать — учит других, кто не умеет учить — учит учителей, а кто и этого не умеет — занимается политикой», — сказал он. Все согласились с ним, но каждый из своих соображений. Коломба, большая специалистка по ложной самокритике, сказала: «Ах, как вы правы!» Она уверена, что знание — сила, а значит, больше ничего не требуется. Если я знаю, что принадлежу к самодовольной элите, которой плевать на всех остальных, меня не в чем упрекнуть и мне же больше чести. Папа думает примерно так же, хоть он не такой болван, как моя сестрица. Он верит в существование так называемого долга; на мой взгляд, это фикция, но она его спасает от постыдного цинизма. Еще он свято верит в осмысленность мира, держится за школьные прописные истины, потому и ведет себя иначе. Девиз разочарованных недоумков: «Жизнь — шлюха, я больше ни во что не верю и буду развлекаться, пока не опротивеет!» Коломба из их числа. Она уже студентка, а все еще верит в Деда Мороза, и не по простоте душевной, а по жуткой инфантильности. Когда папин коллега произнес свой афоризм, она глупо ухмыльнулась: дескать, знаю-знаю, кругом сплошной бардак. И я лишний раз убедилась: моя сестра — законченная идиотка.

На мой-то взгляд, эта фраза — по-настоящему глубокая мысль, причем как раз потому, что сказанное — неправда, вернее, не совсем правда. Тут имеется в виду совсем не то, что кажется. Если бы выше всех по социальной лестнице поднимались самые некомпетентные, все бы, уж точно, давным-давно рассыпалось. Но не в этом дело. Смысл фразы не в том, что лучшие места достаются бездарям, а в том, что все в человеческом обществе страшно жестоко и несправедливо: в нашем мире правят не дела, а слова, и хорошо подвешенный язык считается главным талантом. Это ужасно, потому что мы по природе своей приматы, запрограммированные на то, чтобы есть, спать, размножаться, расширять и охранять свою территорию, а получается, что самых во всем этом сильных обставляют те, кто красиво говорит, но совершенно не способен защитить свой огород, подстрелить кролика на ужин или быть хорошим производителем. В нашем мире верховодят слабаки. Это извращение, надругательство над нашей животной природой и над логикой.

5. ЗЛОСЧАСТНОЕ СВОЙСТВО

Целый месяц читала как ненормальная и наконец пришла к отрадному выводу, что феноменология гроша ломаного не стоит. У меня всегда захватывает дух, когда я гляжу на соборы: подумать только, что могут воздвигнуть люди во славу чего-то несуществующего! Точно так же изумляет мое воображение феноменология: надо же потратить столько мозгов на такую пустышку! К сожалению, у меня нет под рукой мирабели — на дворе ноябрь. Честно говоря, целых одиннадцать месяцев в году приходится использовать вместо нее горький (70 %) шоколад. Но я заранее знаю результат теста. Если б я не поленилась впиться зубами в пробную ягоду или плитку, а глазами — в дивную главу «Раскрытие финального смысла науки посредством погружения в нее как в ноэматический феномен» или «Развертывание конститутивной проблематики самого трансцендентального *ego*», то тут же, пронзенная до глубины души, рухнула бы в мягкое старомодное кресло, стала хлопать себя по ляжкам и могла бы умереть, захлебнувшись от восторга и от выступивших на губах мирабелевого сока или шоколадной жижи.

Если хочешь разобраться в феноменологии, важно помнить, что она сводится к двум вопросам: какова природа человеческого сознания и что мы знаем о мире.

Рассмотрим первый.

На протяжении многих веков люди выводили формулы вроде «познай самого себя» или «мыслю, значит, существую» и рассуждали, кто во что горазд, о ничтожной привилегии человека — способности осмысливать собственное бытие и делать самое себя объектом познания. Если человек ощущает зуд, он чешется и сознает, что вот он чешется. Спроси его кто-нибудь: что ты делаешь? — он ответит: чешусь. На вопрос второго порядка (сознаешь ли ты, что ты сознаешь, что чешешься?) ответит «да», как и на всю цепочку следующих «сознаешь ли ты...». Но уменьшится ли его зуд от знания того, что он чешется и сознает этот факт? Окажет ли рефлексия благотворное действие на силу зуда? Ничуть. В самом чесании ровным счетом ничего не меняется оттого, что я знаю, что у меня где-то чешется, и что я знаю, что знаю об этом. Наоборот, знание, проистекающее из нашего злосчастного свойства, лишь усложняет жизнь; готова спорить на десять фунтов мирабели: оно усугубляет то неприятное ощущение, от которого мой кот легко избавляется, хорошенько поработав лапой. Но люди превозносят это свойство, поскольку его нет ни у одной земной твари и оно, таким образом, отличает нас от других животных. В том, что мы способны понять, что понимаем, что чешемся, в этом даре разумения многие усматривают нечто божественное, освобождающее нас от холодного детерминизма, которому подчинен весь физический мир.

Вся феноменология и зиждется на убеждении, что наше самоосмысляющее сознание, признак божественной сущности, — это единственное, что стоит изучать, потому что оно спасает нас от биологического детерминизма.

И кажется, никто не замечает, что раз мы все равно *являемся животными* и все равно подчинены холодному детерминизму природы, то все остальное совершенные пустяки.

6. ГРУБОШЕРСТНАЯ СУТАНА

Перехожу ко второму вопросу: что мы знаем о мире?

На него отвечают идеалисты вроде Канта.

И что же они отвечают?

А вот что: знаем очень немного.

Согласно идеалистическим воззрениям, познаваемо лишь то, что воспринимает наше сознание, та самая полубожественная сущность, которая спасает нас от животного прозябания. Мы знаем о мире лишь то, что способно сказать о нем наше сознание, воспринимая то, что ему является.

Возьмем для примера симпатягу-кота по имени Лев. Почему именно его? По-моему, так будет легче объяснить. Так вот, скажите, как мы можем быть уверены, что это кот, и как вообще мы можем знать, что такое кот? Опираясь на здравый смысл, надо бы ответить, что к такому заключению пришли наши органы чувств, вкупе с логическим и лингвистическим аппаратом. Ну а ответ идеалиста совсем иной: он скажет, что нам не дано определить, насколько образ кота в нашем сознании и наше представление о нем соответствуют его глубинной сущности. Возможно, мой котище, которого я в данную минуту вижу как тушу с четырьмя лапами и дрожащими усами и который у меня в мозгу занесен в картотеку с пометкой «кот», на самом деле ком зеленой слизи и не думает мяукать. Но мои чувства так устроены, что я этого не воспринимаю, и противный скользкий комок не внушает мне омерзения, а предстает в моем сознании, которому я свято доверяю, пушистым прожорливым домашним любимцем.

Таков идеализм Канта. Мы знаем не мир, а *идею* о нем, какой ее вырабатывает наше сознание. Но есть и более ужасная теория, чреватая вещами похуже, чем мысль о том, что вы, сами того не подозревая, нежно гладите кусок зеленого студня или засовываете по утрам кусочки хлеба в пупырчатый зев, который принимаете за тостер.

Есть идеализм Эдмунда Гуссерля. Он мне напоминает особую грубошерстную сутану, которую носят священники какой-то секты, отколовшейся от баптистской церкви.

Согласно этой теории, существует лишь представление о коте. А сам кот? Какой еще кот? Обойдемся без него. Кому и на что он нужен? Отныне философия позволяет себе порочную роскошь резвиться исключительно в сфере чистого разума. Окружающий мир — недостижимая реальность, нечего и тщиться ее познать. Что знаем мы о мире? Ничего. Раз любое знание есть не что иное, как самоистолкование рефлексирующего сознания, то внешний мир можно послать ко всем чертям.

Это и есть феноменология — «познание того, что является сознанию». Как проходит день феноменолога? Он встает, сознает, что намыливает и поливает душем тело, существование которого никак нельзя обосновать, что жует и глотает бутерброды из ничего, что надевает одежду, похожую на пустые скобки, что идет к себе в кабинет и там рассматривает феномен кота.

Ему все равно, есть этот кот на самом деле или нет и что представляет собой его сущность. Недоказуемое его не волнует. Зато есть нечто неопровержимое: его сознанию дан кот, и наш философ постигает эту данность.

Весьма, надо сказать, сложную данность. Диву даешься, до чего подробно разбирается механизм восприятия сознанием вещи, истинное существование которой ему безразлично. Известно ли вам, что наше сознание не воспринимает все чохом, а производит многоступенчатый синтез и посредством последовательных операций представляет нашим чувствам различные предметы: хоть кот, хоть веник, хоть мухобойку; другое дело, есть ли от этого польза. Попробуйте-ка посмотреть на своего кота и подумать, как получается, что вы знаете, каков он спереди и сзади, сверху и снизу, если в данный момент видите его только анфас. Для этого ваше сознание, без вашего ведома, сопоставило множество кошачьих изображений во всех возможных ракурсах и в конце концов создало цельный образ, которого сиюминутное зрение никогда бы вам не предоставило. Точно так же все обстоит с мухобойкой: вы видите ее всегда с одной и той же стороны, но разум может дать о ней полное представление, и, о чудо, вы, не переворачивая данное орудие, знаете, как оно выглядит с другой стороны.

Это знание, несомненно, очень важно. Трудно вообразить, чтоб Мануэла взмахнула мухобойкой, не мобилизовав предварительно все свое знание о разных ракурсах, необходимых для полноценного восприятия. Ну, правда, вообразить, чтоб Мануэла взмахнула мухобойкой, трудно и без того, по той простой причине, что в богатых домах не бывает мух. Ни мух, ни заразы, ни вони, ни семейных тайн. У богачей всегда все чисто, гладко, гигиенично, и, значит, им нечего бояться, что на них обрушатся мухобойки или общественное порицание.

Словом, вся феноменология — это нескончаемый монолог одинокого сознания, обращенный к самому себе, чистейший аутизм, сквозь который не пробиться ни одному коту.

7. БАРЫШНИ-ЮЖАНКИ

— Что вы читаете? — спросила Мануэла, отдуваясь.

Сегодня она отработала у мадам де Брольи, которая готовится к званому ужину и по этому случаю сама совсем запыхалась. Ей доставили семь банок черной икры, так она, принимая их, пыхтела, как Дарт Вейдер.

— Сборник народной поэзии, — ответила я и захлопнула Гуссерля, раз и навсегда.

У Мануэлы, я вижу, хорошее настроение. Она весело распаковала корзиночку, полную миндальных кексов в фестончатых бумажках, в которых они и пеклись, села за стол и старательно разгладила ладонью скатерть — ей явно не терпелось что-то рассказать.

Я достала чашки, тоже села и приготовилась слушать.

— Мадам де Брольи забраковала трюфели, — начала Мануэла.

— Да ну? — вежливо удивилась я.

— Они не пахнут! — произнесла она трагическим голосом, как будто этот факт был для нее ужасным личным оскорблением.

Мы посмеялись от души над страшным бедствием, и я с удовольствием представила себе, как

60

несчастная, растрепанная мадам де Брольи старается, сбрызгивает на кухне преступные трюфели свежим отваром из белых и лисичек, в отчаянной надежде придать им хоть какой-то лесной аромат.

— А Нептун написал на ногу месье Бадуазу, — продолжала Мануэла. — Бедная собака терпела уже сколько часов, а когда хозяин взял поводок, не выдержала — пустила струйку прямо в прихожей и замочила ему брюки.

Нептуном зовут кокер-спаниеля жильцов из квартиры на четвертом этаже справа. По две квартиры у нас только на третьем и четвертом, на остальных — всего по одной. Второй этаж занимают де Брольи, пятый — Артансы, шестой — Жоссы, седьмой — Пальеры. На третьем живут Мериссы и Розены. А на четвертом — Сен-Нисы и Бадуазы. Нептун принадлежит Бадуазам, вернее, мадемуазель Бадуаз, которая учится в университете на юрфаке и устраивает собачьи бега вместе с владельцами других кокеров, тоже студентами юрфака.

Мне Нептун ужасно нравится. Мы испытываем друг к другу взаимную симпатию, наверное, потому, что мы с ним родственные души и каждый без труда понимает другого. Нептун чует, что я его люблю, а я легко читаю все его желания. Самое любопытное, что хозяйка хочет видеть его джентльменом, а он упорно остается псом. Каждый раз, когда Нептун выбегает во двор, натягивая прочный кожаный поводок, он с вожделением смотрит на непросохшие грязные лужи. Хозяйка повелительно потянет его за ошейник — а он упрется, прижмется задом к земле, да еще и примется бесстыдно облизывать свои причиндалы.

Увидит Афину, потешную уипетку Мериссов, — вывалит слюнявый язык, как похотливый сатир, и аж поскуливает — ясно, какие картинки ему мерещатся. Забавнее всего у кокеров их походочка враскачку, когда они в игривом настроении: как будто под лапками вмонтированы пружинки, которые подбрасывают их вверх, но очень мелкими толчками. От этого лапки и ушки взлетают и ныряют, как кораблик на волнах; славное суденышко-кокер, плывущее посуху, вносит в городскую среду отрадный для меня морской штрих.

Еще Нептун — жуткий обжора, готовый продать душу за редисочный хвост или хлебную корку. Когда они с хозяйкой проходят мимо мусорных баков, он рвется туда со страшной силой, высунув язык и трепеща хвостом. Диану Бадуаз это приводит в отчаяние. Она, утонченная душа, полагает, что ее собачка должна быть похожа на благопристойных американских барышень-южанок времен Конфедерации: те для привлечения женихов должны были прикидываться, будто никогда не бывают голодными.

Ну а Нептун ведет себя как прожорливый янки.

Дневник всемирного движения
Запись № 2

Кокер и Бэкон.

У нас в доме живут две собаки: уипетка Мериссов, похожая на обтянутый сухой шкурой песочного цвета скелет, и рыжий кокер-спаниель, принадлежащий Диане Бадуаз, дочери супер-пупер-адвоката, анорексичной блондинки, которая носит английские плащи от Барберри. Уипетку зовут Афина, кокера — Нептун. Для тех, кто еще не понял, где я живу: у нас — никаких Кики или там Рексов. Так вот, вчера обе собаки встретились в холле, и я имела случай наблюдать любопытный балет. Я говорю не о собаках, которые, понятно, сразу же обнюхали друг друга под хвостом. Нептун, похоже, не слишком душистый — Афина так и отскочила от него, зато у него самого сделался такой вид, как будто он вдохнул аромат розового букета, в который запрятан хороший кровавый бифштекс.

Но нет, я о хозяйках на другом конце поводков. Ведь в городе именно собаки водят хозяев на поводке, а не наоборот, просто об этом как-то никто не задумывается, но раз ты добровольно обременил себя собакой, которую надо два раза в день прогуливать — не важно, снег ли, ветер или дождь, — то это все равно как если бы ты сам надел себе на шею поводок. В общем, Диана Бадуаз и Анн-Элен Мерисс (та же модель, но на двадцать пять лет старше) встретились в холле на первом этаже, каждая при своем поводке. И, как всегда в таких случаях, началась катавасия. Обе дамы поворачиваются так неуклюже, как будто у каждой на руках и на ногах надеты ласты, а все потому, что не в состоянии сделать единственно необходимое: признать, что происходит то, что происходит, и прекратить это. Но дамы делают вид, что их питомцы — благородные плюшевые песики, без всяких неприличных порывов, и не могут крикнуть им «фу!», чтоб они перестали обнюхивать друг другу задницы и облизывать яички.

Произошло все так: Диана Бадуаз с Нептуном выходила из лифта, а Анн-Элен Мерисс с Афиной как раз стояла и ждала его внизу. Словом, они буквально напустили собак друг на друга, и уж те, понятно, не растерялись. Нептун прямо взбесился. Не каждый день такое счастье: шагнуть из лифта и уткнуться мордой в зад Афины. Коломба прожужжала нам все уши своим «кайросом» — по-гречески это примерно значит «миг удачи», то, что, как она считает, умел ловить Наполеон, — как же, моя сестрица — большой знаток стратегии! Чутье на нужный момент — вот что такое этот кайрос. Так вот, почуяв кайрос прямо перед носом, Нептун его не упустил и лихо, как гусар былых времен, наскочил на красотку. «О боже!» — застонала Анн-Элен, как будто бы сама подверглась надругательству. «О нет!» — воскликнула Диана, как будто весь позор ложился на нее, тогда как, спорим на шоколадку, ей в жизни не пришло бы в голову наскакивать с тыла на Афину. Они одновременно принялись растаскивать собак за поводки — в ходе этой операции и произошло необычайное движение.

Видимо, Диана дернула вверх, а Анн-Элен вниз, но, вместо того чтобы разъединиться, собаки поехали вбок и очень скоро врезались: одна в решетку лифта, другая в стенку. Потерявший было равновесие Нептун очень быстро очухался и еще крепче прицепился к Афине, она же визжала, выпучив глаза. Тогда двуногие решили изменить тактику и выволочь парочку туда, где посвободнее. Но времени на маневры не оставалось: наступила та фаза, когда, как всем известно, собаки склеиваются намертво. Обе хозяйки взвыли, как сирены: «Боже мой — боже мой!» — и стали тянуть за поводки с такой силой, будто им самим грозило бесчестье. В спешке Диана Бадуаз поскользнулась и подвернула ногу. И вот оно — то самое движение: нога подкосилась, за ней в ту же сторону накренилось все тело, а волосы, забранные в конский хвост, метнулись в другую.

Честное слово, это было здорово! Прямо картинка Бэкона[1]. У нас дома в родительском туалете сто лет висит одна такая в рамке, на ней как раз изображен кто-то раскоряченный на унитазе, ну, как всегда у Бэкона: кровавая плоть тошнотворного вида. Мне всегда казалось, что такое должно мешать нормальному физиологическому процессу, впрочем, это не мое дело, в нашем доме у каждого свой персональный клозет, так что на здоровье. Но когда Диана Бадуаз оступилась и все у нее: руки, ноги, голова — пошло дикими зигзагами, а сверху отчеркнулось горизонтально вытянувшимся хвостом, мне сразу вспомнился Бэкон. На какую-то долю секунды (все произошло очень быстро, но поскольку я теперь особенно внимательна ко всякому движению, то и это проследила, как при замедленной съемке) Диана уподобилась раздерганной марионетке, получилась телесная какофония, — ну, точь-в-точь бэконовская фигура. Как было не подумать, что картинка в туалете затем и провисела невесть сколько, чтоб я не упустила вот этот несравненный момент. Потом Диана упала прямо на собак, и все уладилось само собой: придавленная Афина отлепилась от Нептуна. Последовал сложный балетный этюд: Анн-Элен хотела помочь Диане встать и одновременно пыталась удерживать свою питомицу подальше от насильника, а Нептун, равнодушный к страданиям и воплям хозяйки, рвался к вожделенному букету с биф-штексом. На счастье, мадам Мишель вышла из привратницкой, а я перехватила поводок Нептуна и оттащила его в сторону.

[1] Имеется в виду ирландский художник-экспрессионист Фрэнсис Бэкон (1909—1992).

Бедняга был ужасно разочарован. Он уселся на пол и, громко хлюпая, стал вылизывать себе яички, чем прямо-таки доконал несчастную хозяйку. Лодыжка Дианы раздулась в небольшой арбуз, мадам Мишель вызвала ей «скорую» и повела Нептуна домой, а Анн-Элен Мерисс осталась с пострадавшей. Я же пошла домой, раздумывая, стоила ли возможность увидеть сцену из Бэкона в реальной жизни всех издержек.

И решила, что нет: мало того что Нептуну не досталось лакомства, но он еще и прогулки лишился.

8. ПРЕДТЕЧА МОЛОДОЙ ЭЛИТЫ

Сегодня утром, слушая радио «Франс-Интер», я с удивлением узнала, что я совсем не то, чем всегда себя считала. До сих пор я объясняла свою культурную всеядность тем, что я самоучка из простонародья. Как я уже говорила, каждую свободную от работы минуту я посвящаю тому, чтобы читать книжки, смотреть фильмы и слушать музыку. Словом, жадно пожираю все, что относится к культуре, однако прожорливость эта, на мой взгляд, плоха тем, что я поглощаю все без разбора: как вещи стоящие, так и всякую дребедень.

В чтении я все же более разборчива, хотя круг моих интересов необычайно широк. Я прочитала кучу книг по истории, философии, политэкономии, социологии, психологии, педагогике, психоанализу, ну а больше всего, конечно, художественной литературы.

Она — вся моя жизнь, все остальное — просто любопытства ради. Кота я назвала Львом в честь Льва Толстого. Предыдущий носил имя Донго — читай Фабрицио дель... А самый первый — Каренин — из «Анны Карениной», хотя звала я его просто Каре из страха, как бы меня не разоблачили. Главное мое пристрастие — русская словесность до 1910 года, я ей неизменно верна (единственная любовь на стороне — Стендаль), однако же успела и от всей мировой литературы отхватить весьма, на мой взгляд, приличный кус, тем более для такой деревенщины, как я, которая сделала головокружительную карьеру, утвердившись в привратницкой дома номер семь по улице Гренель, и которой сам бог велел упиваться Барбарой Картленд. Я, правда, питаю грешную слабость к детективам, но выбираю только те, которые можно причислить к высокой литературе. И до чего же бывает досадно, когда приходится отрываться от романа Коннелли или Манкелля и выходить на звонок Бернара Грелье или Сабины Пальер, бесконечно далеких от умозрений сыщика Гарри Боша, любителя рок-группы LAPD, особенно когда они спрашивают что-нибудь вроде:

— А что это помойкой воняет на весь двор?

То, что они оба: и Бернар Грелье, и наследница старинного рода банкиров — способны обращать внимание на такие вещи и пренебрегать нормой литературного языка, позволяющей заменять вопросительное местоимение «почему», категориально соотносимое с наречием, местоимением «что», соотносимым с именами существительными, лишь в просторечии, заставляет иначе взглянуть на человеческий род.

Напротив, в том, что касается кино, эклектичность моя цветет пышным цветом. Мне нравятся и американские блокбастеры, и авторские фильмы. Долгое время я потребляла преимущественно продукцию американской и английской индустрии развлечений, если не считать нескольких серьезных лент, которые мне, с моей тягой к красоте, сильным страстям и сопереживанию, доставляли такое удовольствие, что я и их причисляла к сугубо развлекательным. Гринуэй вызывает у меня интерес, восхищение и зевоту, зато я истекаю слезами, как пончик жиром, когда Мели и Мэмми идут по лестнице в доме Батлеров после смерти Бонни Блю, а «Бегущего по лезвию» считаю шедевром развлекательного кино высшего класса. Очень долго я так и думала: что седьмое искусство непременно бывает могучим, прекрасным и нагоняющим сон, а киноширпотреб — пустым, забавным и берущим за душу.

Вот и сегодня я дрожу от нетерпения — скорее бы приняться за подарок, который я сама же себе и приготовила. Это награда за стойкое терпение, исполнение давнего, очень давнего желания снова посмотреть фильм, который в первый раз я видела незадолго до Рождества 1989 года.

9. «КРАСНЫЙ ОКТЯБРЬ»

Под Рождество 1989 года Люсьен был очень болен. Мы не знали точно, когда наступит смерть, но уверенность в том, что она близка, сковывала каждого из нас по рукам и ногам и невидимыми узами привязывала друг к другу. Когда в доме поселяется недуг, он не только завладевает телом больного, но и оплетает сердца всех членов семейства мрачной, душащей всякую надежду паутиной. Болезнь, как липкая паучья нить, парализовывала каждую мысль, каждый вздох и день за днем пожирала нашу жизнь. Когда я возвращалась откуда-нибудь домой, то словно попадала в погреб, мне все время было холодно, и я никак не могла согреться, а в последнее время стало казаться, что ночью, когда я спала рядом с Люсьеном, его тело высасывало из меня все тепло, которое я впитала, выходя одна во внешний мир.

Болезнь определили весной 1988-го, она точила его полтора года и унесла накануне Рождества. Старая мадам Мерисс организовала сбор денег среди жильцов, и мне принесли красивый венок, обвитый лентой без надписи. На похоронах он был единственным. Мадам Мерисс была набожной, холодной и надменной, но что-то искреннее пробивалось сквозь ее суровость и даже некоторую резкость; она умерла через год после Люсьена, и тогда я поняла, что это была хорошая женщина и, хоть за пятнадцать лет мы с ней не сказали друг другу и нескольких слов, мне будет ее не хватать.

— Она отравила жизнь своей невестке. Святая была женщина, царствие ей небесное, — сказала вместо надгробного слова Мануэла, испытывавшая к мадам Мерисс-младшей ненависть поистине расиновской силы.

Никого, кроме Корнелии Мерисс, с ее вуалетками и четками, болезнь Люсьена никак не озаботила. По мнению богатых, простолюдины всю жизнь живут в такой разреженной, так мало насыщенной кислородом денег и светского общения атмосфере, что у них ослаблены нормальные человеческие эмоции и они все воспринимают притупленно-безразлично. А значит, мы, консьерж с консьержкой, воспринимаем смерть как нечто обыденное, входящее в порядок вещей, тогда как для них, состоятельных людей, это была бы трагедия, кошмарная несправедливость. Не стало консьержа, что ж, небольшая заминка в потоке повседневности, но таков закон природы, ничего страшного; владельцы квартир привыкли каждый день видеть Люсьена на лестнице или на пороге привратницкой, но он для них был никем и ничем — и вот это ничто вернулось в небытие, где в общем-то всегда и пребывало, — животным, которое жило лишь наполовину, не зная комфорта и роскоши, а потому должно было, и умирая, страдать лишь наполовину. А что мы, как все другие человеческие существа, можем невыразимо мучиться, что по мере того, как болезнь уничтожает все, из чего состоит наша жизнь, нас распирает протест, и мы терзаем себя сами и корчимся от ужаса и страха перед смертью, — да им и в голову такое не придет.

Как-то утром, недели за три до Рождества, я вернулась из магазинов с полной сумкой редиски и кошачьего паштета и застала Люсьена одетым по-уличному. Он даже шарф завязал и стоял готовый к выходу, поджидая меня. Я чуть не свалилась в обморок: еще бы, столько времени смотреть, как муж, шатаясь, еле-еле преодолевает путь от комнаты до кухни и падает на стул без сил, белый как полотно, свыкнуться с тем, что он добрый месяц не вылезает из пижамы, наводящей на мысль о костюме покойника, и вдруг увидеть его стоящим в пальто с поднятым воротником, бодрым, с озорным блеском в глазах и совсем уж невероятным румянцем на щеках.

— Люсьен! — закричала я и рванулась было его поддержать, усадить, раздеть и прочее, — раньше я ничего такого никогда не делала, зато за последнее время, кажется, разучилась делать что-нибудь еще, — собиралась бросить сумку и подхватить его, прижать к себе, поднять... но вдруг остановилась, у меня перехватило горло, как-то странно расширилась грудь.

— Ты как раз вовремя, — сказал Люсьен, — сеанс ровно через час.

В зале было жарко, я чуть не плакала и была счастлива, как никогда в жизни, в первый раз за долгие месяцы я сжимала теплую руку Люсьена. Я понимала, что он внезапно ощутил прилив сил, который позволил ему встать, пробудил в нем желание выйти из дома и еще раз разделить со мной удовольствие от нашего любимого семейного занятия; понимала также, что у нас осталось совсем мало времени, что это блаженное состояние — признак близкого конца, но не думала об этом, а хотела только радоваться этому просвету, этим вырванным у болезни мгновениям, теплу его руки и волнам восторга, одновременно захлестывавшим нас, потому что — еще один подарок судьбы — показывали фильм, который пришелся по вкусу нам обоим.

Я думаю, Люсьен умер сразу после этого. Тело его протянуло еще три недели, но душа отлетела к концу того сеанса — он чувствовал, что так лучше, попрощался со мной там, в темном зале, не терзая себя и меня; того, что мы сказали друг другу без слов, вместе глядя на светящийся экран и следя за действием, было довольно, чтобы он обрел покой.

Что ж, я это приняла.

Фильм «Охота за „Красным Октябрем"» заменил нам последнюю ночь любви. Посмотришь его — и больше ничего не надо, чтобы понять искусство построения сюжета. Зачем, спрашивается, объясняя студентам в университете, что такое нарративные принципы, их пичкают Проппом, Греймасом и другими премудростями, вместо того чтобы обзавестись кинозалом. Не надо никаких завязок, интриг, актантов, перипетий, поисков, героев и прочих вспомогательных средств — хватит одного Шона Коннери в форме русского подводника да парочки удачно вставленных авианосцев.

Так вот, в тот день я услышала по «Франс-Интер», что мешанина из моих устремлений к высокому искусству и пристрастий к низкому вовсе не позорное клеймо моего неаристократического происхождения и бессистемного блуждания в поисках света знаний, а характерное свойство современных продвинутых интеллектуалов. От кого услышала? От одного социолога, с которым страшно хотела бы познакомиться, если бы ему самому было страшно приятно услышать, что некая консьержка в теплых тапочках готова молиться на него, как на икону. Говоря об эволюции культурной практики высокообразованных людей, которые прежде с утра до ночи покоряли вершины духа, а теперь превратились в черные дыры синкретизма, так что граница между подлинным искусством и подделкой оказалась безнадежно размытой, он описал некоего доктора классической филологии, который раньше слушал Баха, читал Мориака и смотрел высокохудожественное и экспериментальное кино, а сегодня слушает Генделя и MC Solaar, читает Флобера и Джона Ле Карре, идет смотреть Висконти и последнего Die Hard и ест на обед гамбургеры, а на ужин сашими.

Когда то, что ты считал своей отличительной чертой, вдруг оказывается типичным для целой социальной группы, это всегда ошеломляет. А в чем-то и оскорбляет. Чтобы я, Рене, пятидесятичетырехлетняя консьержка, самоучка, несмотря на затворничество, которое должно было оградить меня от пороков толпы, и на брезгливый вакуум, который окружает меня и держит в отдалении от веяний большого мира, — чтобы я, Рене, стала частью того же процесса, который затрагивает молодую элиту, состоящую из таких, как юный Пальер, — студентов престижных вузов, которые читают Маркса и топают всей тусовкой смотреть «Терминатора», или как мадемуазель Бадуаз — девиц, изучающих право в университете и рыдающих над страданиями героев «Ноттинг-Хилл», — такое трудно переварить. И ведь простая хронология подтвердит, что я не подражаю этим юнцам в эклектических вкусах, а, наоборот, опередила их.

Рене — предтеча молодой элиты.

— А что, может, и так, — проворчала я и вытащила из сумки кусок телячьей печенки для кота, а затем осторожно извлекла два кусочка филе барабульки — завернутых для конспирации в несколько слоев полиэтилена, — которые собиралась поджарить, замариновав их предварительно в лимонном соке с кориандром.

И тут нахлынули события.

Глубокая мысль № 4

Растения
Дети
Уход

Убирается у нас приходящая прислуга — по три часа ежедневно, но за цветами мама ухаживает сама. Надо видеть этот цирк! По утрам она берет две леечки — с жидким удобрением и с декальцинированной водой — и пульверизатор с несколькими режимами орошения: «струя», «дождевание», «распыление». И обходит все двадцать имеющихся в квартире растений, подвергая каждое индивидуальной обработке. При этом она постоянно что-то бормочет и становится совершенно глухой ко всему на свете. Когда мама возится со своими цветами, можете говорить ей что угодно, она не обратит на это ни малейшего внимания. Вы ей, например: «Буду сегодня колоться и устрою передоз», а она вам на это: «Ай-ай-ай, у кентии желтеют кончики листьев, наверное, воды многовато...»

Из сказанного уже можно кое-что вывести: если хочешь превратиться в инвалида, не слышащего, что ему говорят окружающие, займись комнатным цветоводством. Но это еще не все. Когда мама опрыскивает зеленые листочки водой, на лице ее загорается надежда. Она думает, что питает растение чем-то вроде целительного бальзама, который даст ему все, что нужно, чтобы оно расцвело и окрепло. То же самое, когда она втыкает в землю (точнее, в смесь земли, перегноя, песка и торфа в разных пропорциях, которую она заказывает в специальном магазине у Порт-д'Отей) удобрения в виде маленьких палочек. То есть мама вскармливает растения так же, как вскармливала детей: для кентии вода и удобрения, для нас зеле-

76

ная фасоль и витамин C. Вот где главный вывод: сосредо-точьтесь на некотором объекте и снабжайте его питатель-ными веществами, которые, проникая внутрь извне, по мере усвоения заставят его расти и правильно развивать-ся. Стоит пшикнуть на листья — и растение обеспечено всем необходимым для жизни. Вы смотрите на него с на-деждой и не без тревоги, понимаете, что все живое хруп-ко, беспокоитесь, как бы с ним чего не случилось, но в то же время вас греет приятное чувство выполненного дол-га: вы сделали все, что нужно, добросовестно выполнили роль кормильца, и можно на какое-то время успокоить-ся — теперь все в порядке. Это мамин кодекс поведения, жизнь для нее — череда ритуальных действий, пусть столь же бесполезных, как пшиканье пульверизатора, за-то дающих временную иллюзию того, что все в порядке.

Насколько было бы лучше, если бы мы вместе пережи-вали свою незащищенность, вместе действовали изнутри и понимали, что зеленая фасоль и витамин C хотя и пита-ют плоть, но не спасают и не насыщают душу.

10. НАЗВАТЬ КОТА ГРЕВИССОМ

В дверь привратницкой позвонил Шабро.

Шабро — личный врач Пьера Артанса. Этот постаревший красавчик со смуглым, словно вечно загорелым лицом, извивается перед своим хозяином, как какой-нибудь земляной червяк, со мной же за двадцать лет ни разу не поздоровался и, кажется, вообще не сознает, что я существую. К вопросу о феноменологии: вот интересно было бы исследовать, почему тот или иной образ сознанию одних людей является, а сознанию других — нет. Мой, например, — поразительное дело! — в голове Нептуна держится, а из головы Шабро выпадает.

Но сегодня утром даже загар его, похоже, побледнел. Щеки обвисли, руки дрожат, а нос... нос подтекает. Да-да, у Шабро, врача богатеев, на носу капля. Вдобавок он назвал меня по имени:

— Мадам Мишель!

Может, это не Шабро, а инопланетянин-трансформер, которого подвела справочная служба: настоящий Шабро не засоряет себе мозги информацией о мелких людишках — у них и имен-то заведомо нет.

— Мадам Мишель, — повторяет неудачная копия Шабро, — мадам Мишель!

Что ж, меня действительно так зовут.

— Случилось страшное несчастье, — продолжает Мокрый Нос и, провалиться мне на этом месте, не сморкается, а втягивает каплю внутрь.

Вот это да! Шумно хлюпнув, он отправляет выделения из одной полости в другую, где им совсем не место, и я со смятением смотрю, как стремительно это проделано и как судорожно дергается его адамово яблоко, чтоб не подавиться известно чем. Противно, а главное, невероятно!

Бросаю взгляд по сторонам. В вестибюле ни души. Если мой инопланетянин имеет враждебные намерения, я пропала.

— Страшное, страшное несчастье, — опять повторяет он, прочистив горло. — Месье Артанс при смерти.

— Как? То есть правда умирает?

— Умирает, мадам Мишель, буквально при смерти. И двух дней не протянет.

— Но я же видела его еще вчера утром, он был совершенно здоров! — ошеломленно бормочу я.

— Увы, мадам, увы! Так и бывает, когда отказывает сердце: раз — и всё. Утром вы скачете, как козочка, а вечером лежите в гробу.

— И он умрет дома, его не отвезут в больницу?

— О-о-ох, мадам Мишель, — протяжно говорит он и смотрит мне в глаза печально, как Нептун на поводке, — кому же хочется умирать в больнице?

Первый раз за двадцать лет во мне шевелится что-то вроде симпатии к Шабро. Он ведь тоже человек, думаю я, а все мы, люди, устроены одинаково.

— Мадам Мишель! — Опять! Этот поток «мадам-мишелей» после двадцатилетней суши меня оглушил. — Вероятно, будет много желающих проведать мэтра Артанса, до того как... Но он никого не хочет видеть. Никого, кроме Поля. Не могли бы вы оградить его от нежелательных визитеров?

Противоречивые чувства раздирают меня. Конечно, я вижу, что меня, как всегда, начинают замечать только тогда, когда хотят дать мне поручение. Но ведь выполнять их — моя обязанность. И Шабро подкупил меня своей манерой выражаться: «Не могли бы вы оградить его от нежелательных визитеров?» — я так и растаяла. Какая изысканная учтивость! Я рабыня грамматики, подумала я, и своего кота должна бы назвать Гревиссом. Пожухший красавец Шабро мне неприятен, но речь его восхитительна. «Кому же хочется умирать в больнице?» — спросил он. Никому. Ни Пьеру Артансу, ни Шабро, ни Люсьену, ни мне. Этим простым вопросом Шабро всех нас уравнял.

— Я сделаю все возможное, — сказала я. — Но не могу же я гнаться за ними по лестнице.

— Нет, конечно, но вы можете их отговорить. Скажите, что мэтр никого не пускает.

Шабро посмотрел на меня как-то странно.

Надо быть осторожной, очень осторожной. А я в последнее время потеряла бдительность. Взять хоть тот случай с молодым Пальером, когда я как последняя дура сболтнула что-то про «Немецкую идеологию». Не будь он глупее устрицы, эта оговорка могла бы навести его на кое-какие подозрения. И вот я снова забываюсь и млею перед каким-то прожаренным на ультрафиолете старым пнем лишь потому, что он так старомодно и витиевато изъясняется.

Стараюсь погасить живинку в глазах и изобразить стеклянный взгляд консьержки, готовой сделать все, что может, но все-таки по лестнице за людьми не гоняться.

Настороженность Шабро исчезла.

А чтобы и следа от моей промашки не осталось, подбрасываю просторечья:

— Никак, инфарк его хватил?

— Да, — говорит Шабро, — инфаркт.

Мы помолчали.

— Спасибо вам, — сказал доктор.

— Не за что, — ответила я и закрыла дверь.

Глубокая мысль № 5

Жить
Как все —
Армейская служба.

Этой глубокой мыслью я горжусь. А подсказала мне ее Коломба. В кои-то веки и сестрица на что-то пригодилась. Вот уж не думала, что скажу такое перед смертью.

У нас с Коломбой вечная война; для нее вообще вся жизнь — нескончаемая битва, в которой надо одержать победу, уничтожив других. Она не может чувствовать себя спокойно, пока противник не разбит и не оттеснен на жалкий клочок земли. Мир, где есть место для других, по мнению этой бездарной вояки, опасен. И в то же время другие ей совершенно необходимы: кто же иначе признает ее силу! Поэтому ей мало день и ночь пытаться раздавить меня всеми возможными способами, она еще и добивается с ножом к горлу, чтоб я признала, что она лучше всех и я ее люблю. От всего этого сойдешь с ума! А тут еще, на мое несчастье, Коломба, у которой проницательности ни на грош, каким-то образом узнала, что больше всего на свете я ненавижу шум. Наверное, по чистой случайности. Самой ей ни за что и в голову бы не пришло, что кто-то может нуждаться в тишине. Вряд ли она способна понять, что тишина помогает погрузиться в себя, что она необходима тем, кого интересует не только внешняя сторона жизни, — ведь ее собственный внутренний мир — сплошной шум и хаос, как улица в час пик. Так или иначе, но теперь она знает, что я люблю тишину, а мы с ней, к сожалению, живем в соседних комнатах. И вот она целыми днями шумит и грохочет. Орет в телефон, запускает музыку на всю катушку (а это меня просто убивает),

хлопает дверью, громко комментирует каждое свое действие, включая такие важные вещи, как причесывание или
поиски карандаша в ящике стола. В общем, поскольку по-
теснить меня по-другому не получается — ведь залезть
мне в душу сестрица не может, — она затеяла эту звуко-
вую интервенцию и с утра до ночи отравляет мне жизнь.
Заметьте, чтобы додуматься до такой тактики, надо иметь
самое примитивное представление о жизненном пространстве; мне-то совершенно не важно, где я нахожусь, раз я
свободна мысленно перенестись куда угодно. Для Коломбы это непостижимо, зато она придумала целую теорию:
«Моя сестра — зануда, вредина и неврастеничка, она не-
навидит всех вокруг и предпочла бы жить на кладбище
среди покойников. Другое дело я — натура открытая, полная жизни и радости». Если уж я действительно что-то
ненавижу, так это когда люди возводят свои дефекты или
мании в принципы. Коломба — как раз такой случай.

Словом, худшей сестры не найдется во всем мире. А в
последнее время у нее, как назло, появились еще и другие, крайне неприятные замашки. Мало мне было жить
бок о бок с агрессивной стервой, так еще изволь терпеть
ее мелкие пунктики. В последние месяцы Коломба поме-
шалась на чистоте и порядке. И я в ее глазах стала не
только зомби, но еще и неряхой. Она без конца на меня
кричит: то я накрошила на кухне, то в ванной после меня
остался волосок. Раньше у нее в комнате был дикий бардак, теперь там полная стерильность: все по линеечке,
нигде ни пылинки, у каждой вещи свое место, и не дай
бог мадам Гремон во время уборки что-то положит не туда. Какой-то дурдом. Мне, в общем-то, не было бы до всего
этого особого дела: спятила Коломба, ну и ладно. Но меня
бесит, что при этом она продолжает изображать из себя
клевую девчонку. Коломба явно не в себе, но никто не
желает этого замечать, и она по-прежнему считает, что, в
отличие от меня, подходит к жизни «по-эпикурейски». Но,
честное слово, нет ничего эпикурейского в том, чтобы по
три раза в день принимать душ и поднимать скандал из-за

того, что лампу на ночном столике сдвинули на три сантиметра.

Что вдруг случилось с Коломбой? Не имею представления. Возможно, ей так хотелось всех подавлять, что в конце концов она превратилась в солдата. В буквальном смысле слова. И знай все драит, чистит, строит, как в армии. Солдат, он тоже всегда одержим чистотой и порядком. Ему это нужно, чтобы бороться с хаосом побоищ, грязью войны и месивом из человеческой плоти, которое она оставляет за собой. Но что, если случай Коломбы — всего лишь доведенная до абсурда норма? Разве все мы не тянем жизненную лямку, как солдат свою службу? Занимаясь чем придется и дожидаясь, пока не пошлют в бой или не выйдет срок. Одни наводят блеск в казарме, другие филонят, убивают время за картами, сплетнями и мелкими махинациями. Офицеры отдают команды, солдатики выполняют, но ни для кого не секрет, чем закончится этот междусобойчик: в один прекрасный день всех пошлют умирать, солдат и офицеров, тупиц и пройдох, которые загоняют налево сигареты и туалетную бумагу.

Хотите, я быстренько построю психологическую гипотезу? У Коломбы внутри хаос, там одновременно пустота и завалы, и вот она пытается навести порядок, все в самой себе разобрать и почистить. Ну как? Я уже давно поняла: психологи — просто чудаки, считающие, что обычная метафора — это бог весть какая премудрость. На самом деле такие штуки доступны любому школьнику. Но слышали бы вы, как разглагольствуют по поводу самой пустяковой игры слов мамины приятели-психологи и как ахают мамины идиотки-подружки, которым она расписывает каждый свой сеанс психоанализа, будто путешествие в Диснейленд: аттракцион «моя семейная жизнь», балет на льду «моя жизнь с мамой», американские горки «моя жизнь без мамы», музей ужасов «моя сексуальная жизнь» (шепотом, чтобы я не услышала) и, наконец, пещера смерти «моя жизнь в предменопаузе».

Но вот что пугает меня больше всего: иногда — и довольно часто — мне кажется, что Коломба вообще ничего не чувствует. Все эмоции, которые она проявляет, до того фальшивы и наигранны, что невольно усомнишься, испытывает ли она их на самом деле. Это по-настоящему страшно. Может, болезнь ее зашла уже очень далеко и она способна, ради того чтобы вызвать в себе настоящее чувство, пойти на любое безумство? Так и вижу газетные заголовки: «Нерон с улицы Гренель: молодая женщина подожгла квартиру, где жила вся ее семья. На вопрос, зачем она это сделала, поджигательница ответила, что хотела испытать хоть какую-нибудь эмоцию».

Конечно, я преувеличиваю. И вообще, не мне бы обличать пироманов. Но только, когда сегодня утром Коломба раскричалась из-за того, что нашла на своем зеленом пальто кошачьи шерстинки, я подумала: бедняжка, твоя битва заведомо проиграна. Знай ты это, может, тебе бы и полегчало.

11. БУНТ МОНГОЛЬСКИХ ПЛЕМЕН

И снова в дверь тихонько постучали. Это Мануэла — ее отпустили на весь день.

— Мэтр при смерти, — сказала она. Почудилось мне или в самом деле она передразнивала скорбный тон месье Шабро? — Отчего, если вы заняты не очень, нам не попить бы чаю прямо сейчас?

В причудливом порядке слов и шероховатости глагольных форм, в той вольности, с которой Мануэла обращается с французским синтаксисом, потому что она бедная португалка, вынужденная говорить на языке чужбины, слышался тот же привкус старины, что и в витиеватых выражениях Шабро.

— Я столкнулась на лестнице с Лорой, — хмуро продолжала Мануэла, усаживаясь на стул. — Она вцепилась в перила и вся скрючилась, как будто ей хотелось в туалет. Увидела меня — сразу ушла.

Лора — младшая дочь Артансов, довольно милая девушка, к которой редко кто приходит. Старшая, Клеманс, — неприятная особа, ходячее уныние, святоша, почитающая долгом есть поедом мужа и детей до конца своих блеклых дней, расцвеченных лишь воскресными мессами, приходскими праздниками да вышиванием крестиком. Есть еще младший сынок Жан, законченный наркоман. В детстве он был прелестным мальчуганом с удивленными глазенками, за папой ходил хвостом, как будто жить без него не мог. Когда же втянулся в наркотики, стал совсем другим — словно разучился двигаться. Все детство он пробегал — и напрасно — следом за божеством, теперь же передвигался как-то сковано и угловато, то и дело везде: на лестнице, около лифта, во дворе — застывая на ходу, порой надолго, а пару раз и вовсе засыпал — на моем половике или около мусорных баков. Однажды, когда он стоял вот так, уставившись стеклянным взглядом на клумбу с чайными розами и карликовыми камелиями, я возьми и спроси, не нужно ли ему чем-нибудь помочь, а про себя подумала, до чего он становится похож на Нептуна: нечесаный, кудлатый, с прилипшими к вискам завитушками, слезящимися глазами и подергивающимся влажным носом.

— Да... да нет, — ответил он, делая такие же промежутки между словами, как и между движениями.

— Может быть, хотя бы присядете?

Он удивленно повторил:

— Присядете? Да... да нет, зачем?

— Отдохнете, — сказала я, — немножко.

А он в ответ:

— А-а-а... ну-ну... Да... да нет.

Ну, я и оставила его стоять среди камелий, но из окошка на него поглядывала. Прошло довольно много времени, наконец он насмотрелся на цветы и, вижу, бредет к моей двери. Я открыла, не дожидаясь звонка.

— Пойду прогуляюсь, — сказал он, но вряд ли видел меня — мохнатые шелковистые уши нависали перед глазами. И с явным усилием прибавил: — А эти вот цветы... они как называются?

— Камелии? — удивилась я.

— Камелии... — повторил он задумчиво. — Камелии... Да-да, спасибо, мадам Мишель. — И голос его при последних словах внезапно окреп.

Потом он повернулся и ушел. Несколько месяцев я его совсем не видела, и только в ноябре, как-то утром, он появился в подъезде, но вид у него был такой, что я его не сразу узнала. Так он опустился. Конечно, никто из нас не застрахован от падения. Но чтобы совсем молодой парень так рано дошел до точки, откуда уже нет возврата, и чтобы это выражалось так явно, так непригляд-но... у меня сердце сжалось от жалости. Жан Артанс превратился в развалину, жизнь в нем еле теплилась. Я со страхом думала, справится ли он с кнопками и дверцами лифта, но моя помощь не потребовалась — в подъезд вошел Бернар Грелье, быстро подхватил Жана и поднял его как перышко. Последнее, что я видела, прежде чем лифт вознесся ввысь: придурковатого верзилу с обмякшим мальчишкой на руках.

— Но еще придет Клеманс, — сказала Мануэла, которая обладает непостижимым даром следить за ходом моих невысказанных мыслей.

— Шабро поручил мне попросить ее уйти, — припомнила я. — Месье Артанс не хочет видеть никого, кроме Поля.

— Баронесса с горя высморкалась в тряпку.

Баронесса — это Виолетта Грелье. По-моему, ничего удивительного. В последний час всегда проступает истинная суть. Суть Виолетты Грелье — тряпка, а Пьера Артанса — шелк; у каждого свой удел, от которого не отвертеться, как ни старайся; можно тешить себя разными иллюзиями, но в финальной сцене все равно предстанешь тем, чем на самом деле был всегда. Ходи хоть всю жизнь в тонком белье — от этого у тебя самого тонкости не прибавится, как у больного не прибавится здоровья оттого, что его окружают здоровые люди.

Я налила чай, и мы отпили по глоточку. Нам еще никогда не приходилось чаевничать вдвоем по утрам, и в этом нарушении заведенного порядка была своя прелесть.

— Как хорошо, — прошептала Мануэла.

Еще бы не хорошо — ведь мы наслаждались вдвойне: во-первых, это маленькое отступление лишь освящало обычай, который мы сотворили сами, повторяя одно и то же действие из вечера в вечер, пока оно не затвердело настолько, что стало ядром и опорой повседневной жизни, и сегодня, сделав шаг в сторону, мы убедились в прочности своего детища; а во-вторых, мы, как драгоценным нектаром, упивались чудом этого исключительного утра, когда стершиеся до автоматизма движения внезапно обретали свежесть и мы все делали словно в первый раз: вдыхали аромат чая, пили, отставляли чашки, наливали еще, снова пили маленькими глоточками. Это чаепитие — точно прореха в плотной ткани обычая, которая ненадолго обнажила канву бытия и которую мы залатаем с таким же удовольствием, с каким проделали; точно магические скобки, выносящие сердце из грудной клетки в самую душу; точно крохотное, но животворящее семя вечности, проникшее во время. Во внешнем мире то шум и рев, то сон и тишь, бушуют войны, суетятся и умирают люди, одни нации гибнут, другие приходят им на смену, чтобы, в свой черед, тоже сгинуть, а посреди этой оглушительной круговерти, этих взрывов и всплесков, на фоне вселенского движения, воспламенения, крушения и возрождения бьется жилка человеческой жизни.

Так выпьем же чашечку чая.

Какудзо Окакура в своей «Книге чая» пишет о нашествии монгольских племен в XIII веке как о великом несчастье: не потому, что оно было кровавым и принесло людям много горя, а потому, что уничтожило множество культурных достижений династии Сун и в том числе драгоценнейшее из них — чайное искусство; я, как и он, убеждена, что чай — напиток не простой. Когда чаепитие становится ритуалом, оно развивает умение видеть великое в мелочах. В чем заключено прекрасное? В великих вещах, которые, как и всё на свете, обречены умереть, или же в малых, которые, при всей своей непритязательности, способны запечатлеть в мгновении бесконечность?

Чаепитие, в ходе которого воспроизводятся одни и те же жесты, один и тот же вкус, оттачиваются до высшей подлинности, простоты и тонкости чувства, и каждый почти задаром получает право приобщиться к столу аристократов — ведь чай доступен как богатым, так и бедным, — чаепитие обладает редким достоинством: вносить в наше абсурдное существование частицу спокойной гармонии. Да, мир движется к опустошению, сердце тихо плачет — оплакивает красоту, кругом царит ничтожность. Так выпьем же чашечку чая. Тишина, только ветер шумит за окном, шелестят и срываются с веток осенние листья, да спит, разнежившись в тепле и свете, кот. И в каждом глотке — квинтэссенция времени.

Глубокая мысль № 6

Скажи мне, что ты пьешь
И читаешь за завтраком,
И я скажу, кто ты.

Папа по утрам пьет кофе и читает газету. Вернее, несколько газет: «Монд», «Фигаро», «Либерасьон», а раз в неделю еще «Экспресс», «Эко», «Тайм мэгезин» и «Курьер энтернасьональ». Но видно, что самое большое удовольствие для него — развернуть с первой чашечкой кофе «Монд». Он изучает его добрых полчаса. Чтобы выкроить эти полчаса, ему приходится очень рано вставать, потому что день у него перегружен. И каждое утро, даже если накануне он пришел с ночного заседания и спал не больше двух часов, он встает в шесть часов, читает свою газету и пьет крепкий кофе. Так он выстраивает каждый день. Я говорю «выстраивает», потому что, мне кажется, это каждый раз новая конструкция, как будто за ночь все сгорело дотла и надо начинать с нуля. Такова в наше время человеческая жизнь: каждый взрослый должен непрерывно восстанавливать свой образ — грубо скроенную, эфемерную, непрочную личину, под которой скрывается отчаяние, и, стоя перед зеркалом, повторять самому себе ложь, которой надо верить. Газета и кофе для папы — волшебные палочки, превращающие его в важную персону. Словно тыкву в карету. И эта процедура ему, представьте себе, очень нравится — таким спокойным и непринужденным, как за шестичасовым утренним кофе, его никогда не увидишь. Но цена! Какую цену приходится платить за постоянное притворство! Когда наступает критический момент — а смертному его не избежать — и маска падает, как страшно бывает увидеть истину! Взять, например, месье Артанса, гастрономического критика с пятого этажа, который, кажется, вот-вот умрет. Сегодня мама — она ходила за покупками — ворвалась в дом и с порога выстрелила репликой в публику: «Пьер Артанс при смерти!» Публикой были мы с Конституцией. И заряд, можно сказать, пропал даром. Слегка растрепанная мама разочарованно осеклась. А вечером, как только вернулся папа, накинулась с той же новостью на него. Папа удивился: «Что с ним, сердце? Так внезапно?»

Месье Артанс — вот кто, по-моему, действительно ужасный человек. Мой папа, тот просто мальчишка, который играет во взрослого зануду. А месье Артанс... ужасней не бывает. Не то чтобы он был уж очень злым, жестоким или деспотичным, хотя и не без этого. Нет, в моем понимании «ужасный человек» — это такой, который настолько подавил в себе все хорошее, что превратился в живой труп. Да, такие люди ненавидят всех, но больше всего — самих себя. Человека, который опротивел себе, сразу видно. Из-за этого он и становится заживо омертвевшим — чтобы спастись от тошноты, которую он сам у себя вызывает, ему приходится убить в себе все чувства, приятные вместе с неприятными.

Пьер Артанс именно такой человек. Говорят, он был корифеем гастрономической критики и лучшим в мире знатоком французской кухни. Как раз это меня ничуть не удивляет. Лично я считаю, что французская кухня — сплошное убожество. Столько тратится мозгов, сил и средств — и такое в результате все тяжелое... Паштеты, соусы, сладости — как только животы не лопаются! А если еда не тяжелая, то уж, наоборот, нежнее некуда: с голоду подохнешь за изысканной трапезой из трех художественно нарезанных редисок да двух морских гребешков в желе из водорослей на псевдояпонских тарелках, которые тебе принесут официанты с постными физиономиями. В субботу мы ходили в такой вот ресторан — «Наполеон′с бар». Был семейный выход — праздновали день рождения Коломбы. Меню она выбирала сама, на свой изысканный вкус: какие-то фигли-мигли с каштанами, какое-то блюдо из пряной баранины с невообразимым названием и сабайон с ликером «Гран-Марнье» (вот уж гадость так гадость!). Сабайон — типичный образчик французской кухни: вроде бы что-то совсем невесомое, а на самом деле любой нормальный желудок больше пары ложек принять не может — тяжело. Я от закусок отказалась (Коломба, само собой, высказалась по поводу моей «идиотской анорексии»), заказала филе барабульки с карри (и с кусочками жареных кабачков и морковки под каждой рыбкой) за шестьдесят три евро и выбрала наименее отвратительный из всех десертов — шоколадный фондан за тридцать четыре евро. За такую цену я бы уж лучше купила абонемент в «Макдоналдс» на целый год. Там хоть и дрянь, но, по крайней мере, откровенная. Об интерьере и сервировке я лучше помолчу. Если французы хотят отступить от привычного ампира с бордовым бархатом и золотыми завитушками, то их заносит в больничное убожество. Вас усаживают на стулья в стиле Ле Корбюзье (как мама говорит, «Корбю») и кормят из строго белой посуды, как в советских столовых, а в уборной вешают тонюсенькие бумажные полотенца, которые ничего не впитывают.

Настоящая простота и тонкость — совсем не в этом. «А чем бы ты вообще хотела питаться?» — обозлясь, спросила Коломба, когда увидела, что я и ломтика барабульки не одолела. Я не ответила. Потому что сама не знаю. Для этого я еще маленькая. Но в мангах едят как-то по-другому. На вид там все просто, красиво, умеренно и вкусно. Хорошую еду ешь с таким же чувством, с каким смотришь на хорошую картину или поешь в хорошем хоре. Хорошо — это когда не скудно и не чересчур, а ровно в меру. Может, я ничего не понимаю, но, по-моему, французская кухня слишком старая и вычурная, а японская... как бы это сказать... не старая, не молодая... А вечная и божественная.

Так вот, месье Артанс при смерти. Интересно, что он делал по утрам, чтобы войти в роль ужасного человека.

Пил крепкий кофе и читал статьи коллег-конкурентов или, может, завтракал по-американски сосисками с жареной картошкой? А мы что делаем по утрам? Папа читает газету и пьет кофе, мама пьет кофе и листает каталоги, Коломба пьет кофе и слушает радио «Франс-Интер», а я пью какао и читаю манги гениального Танигучи, из которых узнаю много нового о людях.

Но вчера я спросила маму, можно ли мне попить чаю. Чай за завтраком пьет бабушка, ароматный чай с бергамотом. Я его терпеть не могу, но он все же лучше, чем кофе, напиток ужасных людей. А мама вчера в ресторане заказала чай с жасмином и дала мне попробовать. И он мне страшно понравился, я поняла: вот это — «мое»! Поэтому сегодня утром я сказала, что теперь буду пить за завтраком чай с жасмином. Мама посмотрела на меня как-то туманно («еще не выветрилось снотворное») и сказала: «Да, милая, тебе уже пора».

Чай с мангой против кофе с газетой — элегантность и обаяние против гнусных, агрессивных взрослых игр во власть.

12. ЛЖИВАЯ КОМЕДИЯ

Мануэла ушла, а меня ждало множество захватывающих занятий: все вычистить, помыть пол в парадном, выкатить на улицу мусорные баки, подобрать набросанные рекламные бумажки, полить цветы, приготовить еду для кота (пустив в дело кусок ветчины с толстой коркой) и обед для себя (холодная китайская лапша с помидорами, базиликом и пармезаном), просмотреть газету, почитать отличный датский роман, укрывшись в дальней комнатушке, и выполнить сложную дипломатическую миссию — утешить внучку Артанса Лотту, старшую дочь Клеманс, которая рыдала у меня под дверью, из-за того что дед не хочет ее видеть.

К девяти вечера я со всем этим покончила и почувствовала себя дряхлой и разбитой. Меня не пугает смерть, тем более смерть Пьера Артанса, но совершенно невыносимо ожидание, это зависшее, межеумочное «еще не...», которое ясно дает понять, что бороться уже нет смысла. И вот я сижу на кухне, в тишине и темноте, и уныло думаю, до чего же все нелепо. Мысли путаются. Пьер Артанс... Грубый деспот, жадный до почестей и славы, он, однако же, до последних дней не оставлял усилий достичь вечно ускользающего, химерического словесного совершенства и разрывался между тягой к искусству и жаждой власти. Но где тут истина, а где обман? Что иллюзорно: власть или искусство? Овладев искусством складно говорить, мы превозносим до небес то, что создано человеком, и объявляем суетным, преступным и пустым стремление к главенству, присущее нам всем, — да, всем, включая несчастную консьержку в ее убогой каморке: разве, отказавшись в реальной жизни от погони за превосходством, она не тешит себя мечтами о нем?

В чем состоит наша жизнь? Мы день за днем упорно стараемся играть свою роль в этой лживой комедии. Самое важное для нас, как и для всех приматов, — оберегать и благоустраивать наилучшим образом свою территорию, подниматься или хотя бы не опускаться в иерархии стаи да еще совокупляться на все лады, как ради удовольствия, так и ввиду продолжения рода. Поэтому значительную часть своей энергии мы тратим на то, чтобы пугать или соблазнять — две основные тактики, к которым мы прибегаем в своих территориальных, иерархических и сексуальных притязаниях, питающих наш конатус. Но все это не выходит на сознательный уровень. Мы рассуждаем о любви, о добре и зле, о философии и культуре и вцепляемся в эти благообразные принципы, как клещ в теплый собачий бок.

Но временами лживость комедии жизни вдруг делается очевидной. Тогда, словно очнувшись от сна, мы смотрим на себя со стороны, поражаемся тому, сколько сил уходит на возню с жалкой бутафорией, и с ужасом думаем, где же тут искусство.

Бесконечные гримасы и ужимки кажутся совершеннейшей чушью, уютное теплое гнездышко, за которое мы двадцать лет расплачивались, — вульгарным барахлом, а с таким трудом завоеванное положение в обществе — пустой побрякушкой. Что же касается потомства, мы вдруг видим его в новом и довольно неприглядном свете: ведь если отбросить альтруистическую обложку, сама идея размножения выглядит жуткой глупостью. Остаются радости секса, но и они не выдерживают натиска жестокой правды о нашем естестве, поскольку простые физические упражнения без всякой любви не подходят под наши прочно усвоенные мерки.

Нам не дано вечности.

В такие дни, когда на алтаре нашей природной сути гибнут все романтические, политические, моральные, интеллектуальные и метафизические идеалы, которые упорно внушались нам многолетним воспитанием и образованием, с ними вместе и вся общественная конструкция, с ее делением на зоны и иерархическими ступенями, рушится и погружается в лишенное смысла Ничто. Нет больше бедных и богатых, философов и ученых, повелителей и рабов, добрых и злых, практиков и теоретиков, синдикалистов и индивидуалистов, революционеров и консерваторов — все они лишь рядовые гоминиды, и их гримасы и улыбки, манеры и украшения, языковой и разные другие коды обусловлены генотипом среднего примата и расшифровываются очень просто: отстоять свое место или умереть.

В такие дни становится особенно острой потребность в искусстве. Мы жаждем вернуть иллюзию духовности, страшно хотим, чтобы что-нибудь спасло нас от биологического рока и чтобы не исчезли из нашего мира величие и поэзия.

Тогда надо выпить чашку чаю или же посмотреть фильм Одзу[1] — это поможет вырваться из круговерти сражений и соревнований, которая составляет удел нашего доминирующего на планете вида, и облагородить этот жалкий фарс печатью Искусства в высших его проявлениях.

---

[1] *Одзу Ясудзиро* (1903–1963) — классик японского кино. На своей могиле он велел высечь иероглиф «Ничто».

13. ВЕЧНОСТЬ

Вот почему в девять часов вечера я вставила в свой видеомагнитофон кассету с фильмом Одзу «Сестры Мунаката». Это десятая лента Одзу, которую я смотрю за этот месяц. Почему? Потому что он спасает меня от биологического рока.

Все началось с того, что мы разговорились с молоденькой библиотекаршей Анжель и я сказала, что мне нравятся первые фильмы Вима Вендерса, а она спросила: «А „Токио-Га“ вы видели?» «Токио-Га» — это документальный фильм, посвященный Одзу, и, когда я его посмотрела, мне, конечно, захотелось посмотреть и самого Одзу. Так я открыла для себя этого мастера, и первый раз в жизни большое кино заставило меня смеяться и плакать, то есть оказалось по-настоящему увлекательным.

Итак, я включила видео и стала смотреть, запивая фильм жасминовым чаем. А иногда возвращалась назад, отматывая пленку с помощью пульта, заменяющего современным людям четки.

Вот, например, потрясающая сцена.

Отец, которого играет Тисю Рю, любимый актер Одзу, ариаднина нить всего его творчества, красивый, светящийся душевным теплом и смирением человек, в общем, отец, смертельно больной, беседует со своей дочерью Сецуко о Киото, куда они вместе ездили. Оба пьют саке.

О т е ц. А Храм мха! Мох был так освещен, что казался еще пышнее.

С е ц у к о. Да, а сверху еще лежал цветок камелии.

О т е ц. Ты его заметила? Такая красота! *(Пауза.)* В старой Японии много прекрасного. *(Пауза.)* И по-моему, зря ругают всю старину без разбора.

Фильм продолжается, а самая последняя сцена — разговор Сецуко в парке со взбалмошной младшей сестрой Марико.

С е ц у к о *(с сияющим лицом)*. Скажи, Марико, почему горы в Киото такие сизые?

М а р и к о *(лукаво)*. Как азуки[1].

С е ц у к о *(улыбаясь)*. Очень красивый цвет.

В этом фильме говорится о несчастной любви, об устройстве браков, о преемственности, об отношениях сестер, о смерти отца, о старой и новой Японии, о спиртном и о человеческой жестокости.

Но главное, там говорится о чем-то таком, что ускользает от нас, западных людей, и проступает только в японской культуре. Почему эти две короткие сцены, ни с чем не связанные и выпадающие из интриги, вызывают такое волнение и заключают весь фильм в скобки не выразимого словами?

А вот ключ к фильму.

---

[1] *Азуки* — сорт мелкой красной фасоли.

С е ц у к о. Настоящая новизна никогда не стареет, сколько бы времени ни прошло.

Камелия на храмовом мху, сизые горы в Киото, синяя фарфоровая чашка — цветение чистейшей красоты в гуще преходящих страстей, не к этому ли все стремятся? Но мы, люди западной цивилизации, не умеем достичь желаемого.
Созерцания вечности в самом потоке жизни.

Дневник всемирного движения
Запись № 3

Догони же ее!

Подумать только: у некоторых людей нет телевизора. Как они без него живут? Лично я сижу перед телевизором часами. Выключаю звук и смотрю. Получается такой рентгеновский взгляд на вещи. Выключить звук — все равно что снять красивую упаковку из глянцевой бумаги, в которую завернута какая-нибудь дрянь за два евро. Когда смотришь вот так выпуск новостей, видно, что картинки никак не связаны между собой, их объединяет только комментарий, это он выдает последовательность картинок за подлинную последовательность событий.

Короче, я обожаю телевизор. И сегодня днем видела еще один интересный образец всемирного движения: соревнования по прыжкам в воду. Вернее, несколько соревнований. Был обзор чемпионата мира по этому виду спорта. Мужчины и женщины показывали прыжки с обязательными или произвольными фигурами, одиночные и, самое интересное, парные. Тут, помимо виртуозного исполнения всяких винтов и оборотов, требуется еще синхронность. Все должно совпадать, причем не приблизительно, а до доли секунды.

Забавнее всего, когда прыгуны совсем разного сложения: один маленький коренастый, другой длинный тощий. Думаешь: ничего не выйдет, они физически не могут оттолкнуться и войти в воду одновременно, но, как ни странно, у них это получается. Отсюда вывод: все в мире подчиняется закону компенсации. Если медленнее летишь, сильней толкайся. Но сделать эту запись я решила, когда на трамплине появились две китаянки. Две юные богини с блестящими черными косичками, одинаковые, как близнецы, хотя комментатор объявил, что они не сестры. Только они вышли — и, думаю, у всех, как у меня, захватило дух.

Они сделали грациозный взмах и прыгнули. Первые микросекунды все шло идеально. Я ощущала эту безупречность собственным телом, в силу эффекта «зеркальных нейронов» — это когда смотришь, как кто-то выполняет какое-нибудь действие, и у тебя в голове активизируются те же нейроны, что у него, хотя ты ничего не делаешь. Акробатический прыжок в воду, не вставая с дивана и жуя чипсы, — вот почему так приятно смотреть спорт по телевизору. Ну, в общем, две грации взлетели, и поначалу все было великолепно. А потом — кошмар! Вдруг начало казаться, что их движения чуть-чуть, всего на волосок, но расходятся. Я похолодела и впилась глазами в экран: так и есть, разлад! Нелепо, конечно, настолько подробно рассказывать о прыжке, который занимает не больше трех секунд, но именно поэтому за каждым мгновением следишь так, будто оно длится сто лет. И вот полный разнобой, теперь уж никаких сомнений: одна войдет в воду раньше, чем другая. Просто ужас!

Не отдавая себе отчета, я заорала в телевизор: «Ну, догони же ее! Догони!» Меня разбирала дикая злость на ту, что отстала, и я сердито вжалась в диван. Что же это такое? Тоже мне, всемирное движение! Из-за какого-то крохотного расхождения становится недостижимым совершенство. Добрых полчаса я сидела нахохлившись. А потом меня вдруг озарило: зачем мне понадобилось, чтобы та китаянка догнала напарницу? Чем плохо, если движения не синхронны? Догадаться нетрудно: то, чего мы лишаемся, недотянув самую малость, упущено навеки. Слова, которые мы недосказали, вещи, которые мы недоделали, все однажды блеснувшие кайросы, которыми мы не сумели воспользоваться и которые безвозвратно исчезли... Все, что было так близко и сорвалось... Но я подумала о другом, в связи с зеркальными нейронами. Мысль жутковатая и несколько прустообразная (это мне не очень нравится). Что, если литература — своего рода телевидение, которое мы смотрим, чтобы приводить в действие свои зеркальные нейроны и без особого труда получать токи активной жизни? Или, еще того хуже, литература — телевидение, которое показывает нам то, что мы проворонили?

Такое вот всемирное движение! Что могло быть совершенством, оборачивается провалом. Что можно было пережить реально, достается в чужом восприятии.

Зачем же, спрашивается, жить на этом свете?

14. ПОВЕЯЛО СТАРОЙ ЯПОНИЕЙ

На другое утро Шабро снова позвонил в мою дверь. На этот раз он был сдержан, голос у него не дрожал, нос не краснел и не влажнел. Но вид — ни дать ни взять привидение.

— Пьер скончался, — сказал он металлическим голосом.

— Мне очень жаль, — отозвалась я.

Мне действительно жаль — самого Шабро, ведь если Пьер Артанс испустил дух, Шабро придется научиться жить как бы мертвым.

— Должны прийти из похоронного бюро, — продолжал Шабро все тем же замогильным тоном. — Я был бы вам признателен, если бы вы проводили их до квартиры.

— Конечно.

— Я еще зайду часа через два, помогу Анне. — Он помолчал и, глядя мне в лицо, сказал: — Спасибо. — Второй раз за двадцать лет.

Я собиралась ответить в добрых старых привратницких традициях, но слова почему-то застряли в горле. Оттого ли, что Шабро скоро уйдет насовсем, или оттого, что перед лицом смерти рушатся все укрепления, оттого, что я подумала о Люсьене, или, наконец, оттого, что притворство оскорбило бы память покойных. Как бы то ни было, вместо «не за что» я сказала:

— Что ж, все приходит в свой час...

Звучит как поговорка, а на самом деле это слова, которые Кутузов в «Войне и мире» говорит князю Андрею: «Да, немало упрекали меня, и за войну и за мир... а все пришло вовремя. Tout vient à point à celui qui sait attendre»[1].

Я бы много дала, чтобы прочесть этот кусочек по-русски. Особенно мне в нем нравится цезура, размах маятника сначала к «войне», потом к «миру», набегающая и отступающая интонационная волна, как будто прибой выносит на берег и уносит обратно дары моря. Что это: прихоть переводчика, которому захотелось как-то расцветить пресный русский текст: «Меня немало упрекали за войну и за мир» — и нарушить гладкое, без единой запятой, течение фразы тем, в чем мне слышатся морские изыски, но для чего в оригинале нет ни малейшего основания? Или же свойство самого этого прекрасного текста, который я и сейчас не могу читать, не прослезившись от счастья?

Шабро тихонько кивнул и вышел.

Остаток утра прошел довольно мрачно. У меня не прибавилось симпатии к Артансу, из-за того что он умер, тем не менее я бродила как неприкаянная и даже читать не могла. Островок первозданности, приоткрывшийся благодаря камелии на храмовом моховом ковре, прочно заволокло туманом, и сердце мое заливала черная горечь всех утрат и падений.

---

[1] Все приходит в свой час для того, кто умеет ждать. (У Толстого Кутузов произносит эту фразу по-французски.)

И вдруг — словно повеяло «старой Японией». Из какой-то квартиры отчетливо и ясно донеслась светлая музыка. Кто-то играл на пианино классическую пьесу. Нежданное чудо разогнало тоскливый сумрак. И в одно мгновение вечности все изменилось и преобразилось. Неведомо кем сыгранная мелодия, капля гармонии в сумятице быта — и вот я сижу склонив голову и думаю о камелии на мху и о чашке чая, меж тем как ветер на улице шумит в листве, ток жизни замирает и затвердевает, не перетекая в завтра с его заботами, и мысль о человеческой судьбе, вырванной из бесконечной череды бесцветных дней, наконец просиявшей и свободной от времени, согревает мою умиротворенную душу.

15. ДОЛГ БОГАТЫХ

Цивилизация означает усмирение насилия, победу — далеко не окончательную — над агрессивностью примата. Ибо мы были, остаемся и будем приматами, пусть даже научившимися ценить камелии на мху. К этому сводится все воспитание. Что значит воспитывать? Это значит неустанно предлагать камелии на мху как средство, отвлекающее от импульсов животной натуры, которые никогда не прекращаются и постоянно угрожают нарушить хрупкое равновесие, без которого все рухнет.

Сама я — детище камелии на мху. Именно в этом и ни в чем другом причина моего добровольного заточения в этой каморке. Я очень рано поняла, что обречена на жалкое прозябание, и могла бы взбунтоваться, укоряя небо в страшной несправедливости и дав волю ярости, которая неминуемо копится в людях моего сословия. Но школа так сформировала мою душу, что обездоленность привела ее всего лишь к аскезе и затворничеству. Чудо второго рождения создало во мне благодатную почву для противостояния низменным побуждениям, — ибо я действительно заново родилась в школе, и это обязывало меня хранить ей верность: я с готовностью усваивала все, чему меня учили, и превращалась в цивилизованное существо. Лучшее, безотказное оружие в борьбе с обезьяньим буйством — слова и книги, благодаря им душа моя развилась и научилась черпать в литературе силы для преодоления естества.

Вот почему я удивилась собственной реакции, когда Антуан Пальер, резко позвонив три раза кряду, без всякого приветствия принялся прокурорским тоном рассказывать мне о том, что у него пропал хромированный самокат, а я захлопнула дверь у него перед носом, едва не обрубив хвост некстати сунувшемуся коту.

Куда подевались все мои камелии?

Бедного Льва все же надо было пустить домой, и я тут же снова распахнула дверь:

— Извините, сквозняк.

Антуан Пальер смотрел на меня так, будто не верил собственным глазам. Но он привык считать, что ничего недолжного происходить не может, подобно всем богатым, которые убеждены, что жизнь их движется по особой колее, специально для них проложенной силой денег по небесному своду, и потому решил принять мое объяснение. Поистине поразительна наша способность обманывать самих себя, лишь бы не пошатнулись наши устоявшиеся представления.

— Ну да, — сказал он, — вообще-то меня прислала мама, она просила передать вам вот это.

Он протянул мне белый конверт.

— Спасибо, — сказала я и опять захлопнула дверь.

И вот я стою на кухне с этим самым конвертом в руках и спрашиваю у Льва:

— Что это со мной сегодня такое?

Мои камелии привяли из-за смерти Пьера Артанса.

Я разорвала конверт и прочла несколько слов, нацарапанных на обратной стороне визитки, такой гладкой, что под каждой буквой остался, вопреки усилиям промокашки, легкий чернильный подтек:

Мадам Мишель!

Не могли бы Вы, получить пакеты из химчистки, которые принесут для меня сегодня во второй половине дня?

Я зайду к Вам за ними вечером.

Заранее благодарна...

И подпись-закорючка.

Такого апперкота я не ожидала и рухнула на ближайший стул. Не знаю, может, я просто ненормальная? А на вас подобные вещи тоже так действуют или нет?

Вот смотрите:

«Кот спит».

Вы прочитали это крошечное предложение, и оно не вызвало у вас ни боли, ни жгучего страдания? Правильно.

А теперь:

«Кот, спит».

Повторю для полной ясности:

«Кот, запятая, спит».

«Вы не могли бы, получить...».

С одной стороны, мастерское применение запятой, когда пунктуационная вольность — ведь по правилам запятой в этом случае не требуется — служит виртуозности стиля:

«Да, немало упрекали меня, и за войну и за мир...»

А с другой — размазанные на глянцевой бумажке каракули Сабины Пальер и запятая, которой она, как ножом, пырнула фразу:

«Не могли бы Вы, получить пакеты из химчистки?»

Будь Сабина Пальер приходящей прислугой-португалкой родом из знойного Фаро, или консьержкой из какого-нибудь захудалого городишки вроде Пюто, или умственно отсталой, к которой по-доброму относятся гуманные родные, я бы охотно простила ей эту оплошность. Но Сабина Пальер богатая женщина. Сабина Пальер — жена влиятельного оружейного магната. Сабина Пальер — мать недоумка в пижонском зеленом балахоне, который, отсидев два года на факультете политических наук, вполне вероятно, будет блистать своим убогим умишком в аппарате какого-нибудь правого министра. И наконец, Сабина Пальер — дочь старой стервы в меховом манто, которая состоит в экспертном совете крупного издательства и таскает на себе столько украшений, что я иногда боюсь, как бы она не рухнула под их тяжестью.

А коли так, Сабине Пальер нет оправдания. За милости судьбы надо платить. Те, к кому жизнь благосклонна, просто обязаны стоять на страже прекрасного. Язык — наше достояние, и его нормы, выработанные всей нацией, — святыня. Пусть со временем они меняются, преобразуются, отмирают и возрождаются, и пусть эта изменчивость плодотворна, но, прежде чем получить право участвовать в этой игре и ломке, необходимо присягнуть им на верность. На элиту, людей, избавленных от тяжкого труда, удела бедняков, возложена двойная миссия: чтить и хранить красоту языка. Поэтому, когда такая вот Сабина Пальер небрежно ставит запятую, это кощунство, тем более непростительное, что вместо нее почести прекрасному воздают другие — поэтические души, рожденные в лачугах и трущобах.

Долг богачей — служить красоте. Иначе они заслуживают смерти.

На этом месте мои гневные рассуждения прервал звонок.

Глубокая мысль № 7

И жизнь, и смерть
Зависят от того,
Что ты создашь.

Чем дальше, тем больше крепнет моя решимость поджечь дом. А покончить с собой — и подавно. Мне здорово досталось от папы за то, что я поспорила с гостем, который сказал неправду. Это был отец Тибера, приятеля моей сестры. Тибер тоже учится в Эколь Нормаль, но на математическом. Элита! На мой взгляд, Коломба, Тибер и их компания отличаются от какой-нибудь молодежной ватаги «из низов» только одним: те все же поумнее моей сестрицы и ей подобных. Золотая молодежь пьет, курит, разговаривает как дворовая шпана, в таком вот примерно духе: «А ниче так Олланд размазал Фабиуса с его референдумом, мужик что надо, чисто киллер» (цитируется дословно) — или: «Научники (то бишь научные руководители), которых назначили в последние два года, сплошь одни фашики, правые всех гасят, лучше не возникать — себе дороже» (сказано у нас дома, вчера). Вот это на тему попроще: «Герла, на которую запал Жибе, — ну, та блондинка с английского отделения, короче, блондинка!» (там же, тогда же). А вот о более высоких материях: «Приколись, Мариан на лекции выдал плюху: существование не является первичным атрибутом Бога (там же, тогда же, сразу после обсуждения блондинки). Как тебе такое? Полный улет (дословно). Я, ясное дело, атеист, но как не признать красоту метафизической онтологии. Стройность концепции куда важнее истины. А Мариан, хоть и мракобес, но силен, придурок!»

Жемчужины, что мне на рукава
Упали в час, когда мы расставались
И еще пели в лад сердца,
Я уношу с собой, —
Это память о вас.

                                    («Кокинсю»)[1]

Чтобы не слышать этих дегенератов, я засунула в уши мамины затычки из желтого латекса и прочитала несколько хокку из папиной «Антологии классической японской поэзии». Потом все разошлись, и Коломба с Тибером заперлись у нее в комнате. Звуки оттуда неслись самые омерзительные, а ведь оба знали, что я их прекрасно слышу. Как назло, Тибер остался еще и на ужин, потому что мама пригласила его родителей. Его отец — кинопродюсер, а мать держит художественную галерею на набережной Сены. Коломба их обожает и через неделю едет с ними на уик-энд в Венецию. Слава богу, хоть три дня поживу спокойно.

Так вот, за ужином отец Тибера сказал: «Как, вы ничего не знаете про го, эту потрясающую японскую игру? Я сейчас делаю фильм по роману Шань Са „Играющая в го“, это что-то и-зу-мительное, такие японские шахматы. Еще одно чудо, которым мы обязаны японцам, и-зу-мительно, просто изумительно!»

Он стал объяснять правила игры в го и понес ужасную чушь. Во-первых, го изобрели китайцы. Я это знаю, потому что читала знаменитую мангу «Хикару Но Го». Во-вторых, это вовсе не японский вариант шахмат. Шахматы и го похожи друг на друга не больше, чем кошка на собаку; там и там двое играют на доске черными и белыми фигурами, но на этом сходство кончается. В шахматах надо убивать ради победы. В го — строить ради жизни. А в-третьих, месье Я-папочка-кретина многие правила переврал. Цель игры не съесть фигуры противника, а занять

---

[1] *Кокинсю* (Собрание древних и новых песен Ямато) — классическая антология японской поэзии IX в.

115

как можно большую территорию. Неправильно, что всегда запрещено ставить камень в пункт, где он автоматически оказывается захваченным, — такой «самоубийственный ход» допустим, если при этом происходит захват камней противника. И так далее.

Когда же месье Я-произвел-на-свет-подонка поведал, что «классификация игроков начинается с одного кю и заканчивается тридцатью, а потом идут даны: первый, второй и выше», я не выдержала и поправила его: «Наоборот, ранги считаются с тридцати до одного кю». Месье Простите-я-не-ведал-что-творил заупрямился и раздраженно сказал: «Нет, милая барышня, я точно знаю». Я помотала головой, а папа уставился на меня, нахмурив брови. Самое противное, что спас меня Тибер: «Нет-нет, папа, она права, ранг один кю самый высший!» Тибер математик, он играет и в шахматы, и в го. По-моему, это ужасно. Хорошими вещами должны владеть хорошие люди. Так или иначе, подтвердилось, что отец Тибера не прав, но папа после ужина меня отчитал: «Если ты можешь открывать рот только для того, чтобы высмеивать гостей, лучше уж молчи». А что же я должна делать? Открывать рот, чтобы трещать, как Коломба: «Совершенно не понимаю, по какому принципу издательство „Амандье" составляет свой план!» — а сама и двух строчек из Расина привести не способна, не говоря уж о том, чтоб понять их красоту? Или как мама: «В прошлом году бьеннале был просто плачевным», — а сама, если что, в огонь бы полезла ради своих растений и пальцем не пошевелила ради полотен Вермеера? Или как папа: «Неповторимость французской культуры — это тончайший парадокс», — талдыча это из вечера в вечер целых две недели? Или как мать Тибера: «В Париже теперь не найти приличного сыра!» — но она, дочь овернского коммерсанта, хоть знает, что говорит.

Ну а игра в го... Она прекрасна тем, что цель ее — создать свою территорию. В этой битве есть разные стадии, но все они ведут к одному: к тому, чтобы дать место жизни. А одно из самых главных достоинств игры в том, что она доказывает: если хочешь выиграть, надо не только жить самому, но и давать жить другому. Слишком алчный проиграет партию, надо все время тщательно поддерживать равновесие: использовать свое преимущество, не уничтожая соперника. В конечном счете жизнь и смерть предстают следствиями хорошего или дурного построения. Как говорит один персонаж Танигучи: и жизнь, и смерть от чего-то зависят. Это относится не только к игре в го.

·И жизнь, и смерть зависят от того, что ты создашь. Главное, создавать что-то хорошее. И вот я дала себе новый зарок. Отныне я не буду рвать и разрушать, а буду только созидать. Даже с Коломбой придумаю что-нибудь конструктивное. Главное — за чем застанет тебя смерть. Шестнадцатого июня я умру, созидая.

16. СТРАДАНИЯ КОНСТИТУЦИИ

Пришла Олимпия Сен-Нис, славная девочка, дочь дипломата с четвертого этажа. Она мне очень нравится. Надо иметь сильный характер, чтобы жить с таким нелепым именем, особенно в подростковом возрасте, когда наверняка каждый, кому не лень, тебя дразнит: «Эй, Олимпия, можно влезть на твою священную гору?» — и кажется, что это никогда не кончится. Кроме того, Олимпию Сен-Нис явно не прельщают перспективы, которые открывает перед ней ее происхождение. Ни выгодный брак, ни близость к власть имущим, ни карьера дипломата или уж тем более звездный блеск. Олимпия Сен-Нис хочет стать ветеринаром.

— Причем в провинции, — сказала она мне однажды, когда мы болтали перед дверью привратницкой. — В Париже только мелкие животные. А я хочу лечить и коров со свиньями.

В отличие от некоторых других жильцов Олимпия говорит без всяких ужимок, в которых так и читается: вот мы, как просвещенные люди левых убеждений и без предрассудков, разговариваем с консьержкой. Нет, она говорит со мной не напоказ, а потому, что у меня есть кот, значит, нас объединяют общие интересы, и я высоко ценю эту ее способность презирать барьеры, которыми общество без конца перегораживает наши нехитрые земные пути.

— Я хочу рассказать вам, что произошло с Конституцией, — сказала Олимпия, когда я открыла ей дверь.

— Так заходите, — пригласила я. — У вас найдется пять минут?

Пять минут у нее нашлось, и не только пять: она была так рада случаю поговорить о кошках и об их хворях, что просидела у меня целый час и выпила одну за другой пять чашек чаю.

Люблю Олимпию Сен-Нис!

Конституция — это роскошная палевая кошка с нежным розовым носом и лиловыми подушечками на лапках. Она принадлежит Жоссам, но, как и все остальные четвероногие обитатели нашего дома, при малейшем чихе становится пациенткой Олимпии. Так вот, это совершенно бесполезное, но дивной красоты создание трех лет от роду недавно промяукало всю ночь, не давая спать хозяевам.

— И в чем же дело? — спрашиваю я в нужный момент. Мы обе радеем о слаженности разговора, и каждая блестяще играет свою роль.

— Цистит! — отвечает Олимпия. — Цистит!

Олимпии всего девятнадцать лет, и она ждет не дождется, когда ей можно будет поступать в Высшее ветеринарное училище. А пока старательно, со смешанным чувством сострадания и восторга, практикуется единственным доступным способом: пользуя представителей здешней фауны.

Поэтому и говорит о диагнозе, который ей удалось поставить, с таким торжеством, словно открыла месторождение алмазов.

— Цистит?! — охотно изумляюсь я.

— Цистит! — повторяет сияющая Олимпия. — Бедная девочка мочилась где попало, и... — Она набирает воздуху и выкладывает главный козырь: — В ее выделениях наблюдалась слабо выраженная гематурия!

Боже, как это прекрасно! Скажи она: «В кошачьей моче была кровь», было бы понятнее. Но Олимпия, с энтузиазмом входившая в образ кошачьего доктора, усвоила и специфическую терминологию. А я обожаю такой стиль. Фраза: «В ее выделениях наблюдалась слабо выраженная гематурия» — ласкает мое утомленное изящной словесностью ухо, уводит в особый, далекий от литературы мир. Я поэтому и инструкции к лекарствам люблю читать: утешительная точность и техничность терминов создает впечатление основательности и пробирающей до дрожи простоты, погружает в другое измерение, где нет ни поисков красоты, ни мук творчества, ни бесконечной, безнадежной погони за идеалом.

— Для циститов возможны две этиологии, — продолжает Олимпия. — Инфекционное поражение или функциональное расстройство почек. Прежде всего я прощупала мочевой пузырь, чтобы проверить, не принял ли он шарообразную форму.

— Шарообразную?

— При почечном расстройстве мочеиспускание затрудняется, мочевой пузырь переполняется и принимает форму упругого шара, который можно прощупать, пальпируя брюшную полость животного, — объясняет Олимпия. — Но в данном случае ничего подобного не обнаружилось. И боли при обследовании кошка явно не испытывала. Но продолжала постоянно мочиться.

Я представила себе палас в гостиной Соланж Жосс, превратившийся в огромную подстилку, всю в пятнах цвета разведенного кетчупа. Но в глазах Олимпии это пустяки, побочные издержки.

— У Конституции взяли мочу на анализ.

Но у нее ничего не нашли. Ни камней в почках, ни инфекции, коварно внедрившейся в ее крохотный мочевой пузырь, ни патогенных микроорганизмов. Между тем, несмотря на кучу лекарств — противовоспалительных, спазмолитиков и антибиотиков, — у Конституции ничего не проходит.

— Так в чем же дело? — спрашиваю я.

— Вы не поверите, — говорит Олимпия. — У нее идиопатический оболочечный цистит!

— Господи боже, это что же такое? — У меня аж дух захватило от восхищения.

— Это значит, что у Конституции классическая истерия! — весело сообщает Олимпия. — Оболочечным такой цистит называется потому, что происходит воспаление оболочки мочевого пузыря, а идиопатическим — потому, что не связан ни с какой органической патологией. Просто когда кошка переживает стресс, у нее начинается цистит, точно так же, как бывает у женщин.

— Но из-за чего у нее может быть стресс? — искренне удивляюсь я, потому что если уж у Конституции, этой жирной балованной бездельницы, чье благополучие и покой нарушают лишь манипуляции доброжелательной начинающей ветеринарши, ощупывающей ей живот, находятся причины для стресса, то все остальные представители животного царства должны бы пребывать в состоянии хронического аффекта.

— Ветеринар сказал: это знает только сама кошка. — Олимпия слегка нахмурилась. — Недавно Поль Жосс обозвал ее толстухой. Возможно, поэтому. Неизвестно. Это может быть что угодно.

— И как же ее лечат?

— Так же, как людей. Дают прозак.

— Вы не шутите?

— И не думаю.

Ну, что я говорила?! Все мы животные, и никуда от этого не деться. Если кошка из богатеев страдает теми же болезнями, что и цивилизованные женщины, это говорит не о дурном обращении с домашними питомцами и не о том, что люди заражают своими хворями невинных тварей, а, наоборот, о единстве и общей судьбе всего живого. Мы подвержены тем же страстям и тем же недугам.

— Это послужит мне уроком на будущее, когда я начну лечить незнакомых животных.

Олимпия встала и вежливо попрощалась:

— Спасибо вам, мадам Мишель. Только с вами я и могу поговорить о таких вещах.

— Не за что, Олимпия, — ответила я. — Мне и самой приятно.

Уже в дверях Олимпия обернулась и сказала:

— А знаете, Анна Артанс собирается продавать квартиру. Надеюсь, у новых жильцов тоже будет кошка.

17. ПЕРЕПЕЛИНАЯ ГУЗКА

Анна Артанс продает квартиру!

— Анна Артанс продает квартиру! — говорю я Льву.

— Надо же! — отвечает он, или, по крайней мере, мне так кажется.

Я живу здесь уже двадцать семь лет, и за все время ни в одной квартире не сменились хозяева. Старая мадам Мерисс уступила место молодой мадам Мерисс, примерно так же все шло у Бадуазов, Жоссов и Розенов. Артансы въехали почти одновременно с нами, мы, можно сказать, вместе состарились. А де Брольи, те поселились тут раньше всех и никуда не уезжают. Не знаю, сколько лет господину советнику, но он и в молодости уже выглядел стариком и именно поэтому теперь, в глубокой старости, кажется молодым.

Так что за всю мою бытность консьержкой это первый случай, когда собственность переходит из одних рук в другие. И почему-то эта перспектива меня пугает. Или я слишком привыкла к вечному повторению одного и того же, а предстоящая — еще не наверняка! — перемена делает ощутимым время, напоминает о его неумолимом беге? Мы ведь проживаем каждый день так, словно назавтра он снова вернется, а тут вдруг уютный статус-кво в дома номер семь по улице Гренель, где утро за утром накатывают, зримо являя постоянство, оказался под угрозой, и я почувствовала себя на островке посреди бушующего моря.

Взбудораженная, я схватила сумку на колесиках и, оставив дома похрапывающего кота, нетвердым шагом отправилась на рынок. На углу улицы Гренель и улицы Бак прочно обосновался в будке из старых картонных коробок клошар Жежен. Он углядел меня издалека и поджидает, как паук свою жертву. Когда же я подхожу, весело горланит:

— Что, тетушка Мишель, опять пропал любимый кот?[1]

Вот уж что никогда не меняется! Жежен зимует тут каждый год, обложившись драными картонками, и на нем всегда один и тот же старый сюртук образца «новый русский» конца XX века, который, как и его нынешний обладатель, словно неподвластен времени.

Я тоже отвечаю ему, как обычно:

— Вы бы лучше пошли в приют, сегодня обещают холодную ночь.

— Вот еще, в приют! — визгливо отзывается он. — Сами туда идите! А мне больше нравится тут.

Я было пошла дальше, но совесть заставила меня вернуться:

— Я хотела вам сказать... Сегодня ночью умер месье Артанс.

---

[1] *Тетушка Мишель* — персонаж известной французской народной песенки:

У тетушки Мишель пропал любимый кот.
Рыдает и кричит — кто ей кота вернет! — и т. д.

— Критик? — спросил Жежен. Взгляд его вдруг прояснился, а шея вытянулась, как у охотничьего пса, учуявшего перепелиную гузку.

— Да-да, критик. Сердечный приступ.

— Вот те на... Вот те на... — бормотал Жежен, явно взволнованный.

— Вы знали его? — спросила я, просто чтобы что-нибудь сказать.

— Вот те на... вот те на... — все сокрушался клошар. — Лучшие уходят раньше всех!

— Он прожил хорошую жизнь, — не совсем уверенно произнесла я, все больше удивляясь.

— Эх, тетушка Мишель, теперь таких, как этот парень, уже не бывает. Вот те на... — опять затянул Жежен. — Мне его, собаки, будет не хватать.

— Он что же, вам что-нибудь давал? Может, деньги на Рождество?

Жежен посмотрел на меня, потянул носом и плюнул себе под ноги.

— Еще чего! Ни монетки не дал за все десять лет! Кремень! Теперь таких не бывает.

Этот разговор с Жеженом меня поразил и не выходил из головы все время, пока я обходила рыночные ряды. Я никогда не верила в то, что бедным свойственно особое великодушие только потому, что они бедные и их преследует судьба. Но думала, что их объединяет хотя бы общее чувство ненависти пролетариев к богатым. Однако Жежен меня разуверил и открыл другую истину: если и есть у бедняков предмет ненависти, то это другие бедняки.

И в общем, это не лишено смысла.

Бродя наугад по рядам, я вышла к сырному прилавку и купила пармезан внарезку и хороший кусочек сументрена.

18. РЯБИНИН

Когда мне не по себе, я забираюсь в убежище. Для этого не надо никуда идти или ехать — достаточно перенестись в сферу литературных воспоминаний. Литература! Это ли не самое благородное развлечение, не самое приятное общество, не самое сладостное забытье!

И вот я стою перед прилавком с маслинами и думаю о Рябинине. Почему о Рябинине? Потому что дряхлый длиннополый сюртук Жежена, украшенный сзади низким хлястиком на пуговицах, напомнил мне сюртук Рябинина. Это купец из «Анны Карениной», который покупает лес у московского аристократа Облонского и приехал заключить сделку в доме у помещика Левина. Купец божится, что условия очень выгодны для Облонского, Левин же уверен, что его друга грабят и лес стоит втрое больше. Перед началом разговора Левин спрашивает Облонского, счел ли он деревья в своем лесу. Тот удивляется: как это, счесть деревья? Это же все равно что счесть песчинки на дне моря! А Левин ему говорит: «Рябинин, будь уверен, их пересчитал!»

Я очень люблю эту сцену, прежде всего потому, что она происходит в Покровском, в русской деревне. Русская деревня... В ней есть особая красота: чувствуется первозданность и в то же время соприродность этой земли человеку, — земли, из которой все мы сотворены. Лучшая сцена «Анны Карениной» происходит в Покровском. Левин мрачен, ему тяжело, он пытается забыть Кити. Время весеннее, и он отправляется в поле косить вместе с крестьянами. Сначала ему трудно, он боится, что не выдержит, и уже готов сдаться, но тут мужик, который первым шел по полосе, сам решает сделать передышку. Вскоре косьба возобновляется. И снова, когда Левин чуть не падает от усталости, старший вскидывает косу. Отдых. А потом новый ряд, сорок мужиков, мерно взмахивая косами, приближаются к реке, меж тем как солнце поднимается все выше. Жара нарастает, Левин обливается потом, но после нескольких приемов движения его, поначалу неловкие и натужные, делаются плавными. И вдруг приятная прохлада окатывает разгоряченную спину. Летний дождь. Постепенно движения Левина освобождаются от контроля воли, он впадает в легкое забытье, так что работа делается правильной и отчетливой, словно действует хорошо отлаженный механизм, не надо думать и рассчитывать, коса режет сама собой, и он наслаждается этим забытьем, испытывает чудесную, не зависящую от сознательных усилий радость.

Так бывает в самые счастливые минуты нашей жизни. Когда, сорвавшись с привязи сознания и намерений, мы отдаемся на волю внутренней стихии, видим собственные действия так, словно это действуем не мы, и в то же время получаем удовольствие от их непроизвольного совершенства. С чего бы, скажем, затеяла я всю эту писанину, этот смешной дневник престарелой консьержки, если бы процесс письма не был сродни искусству косьбы? Когда строчки-ряды ложатся самопроизвольно, когда я удивительным образом, будто со стороны, наблюдаю за рождением на бумаге фраз, к которым непричастно мое сознание и которые, записываясь вот так, без моего участия, открывают мне то, чего я не знала, выявляют неведомые мне самой желания, — эти безболезненные роды, нечаянные откровения наполняют меня счастливым чувством, и я без всякого труда, ничего не полагая наперед и не переставая радостно, от всей души удивляться, отдаюсь прихоти собственного пера.

И тогда, оставаясь в здравом уме и твердой памяти, я достигаю граничащего с экстазом самозабвения и погружаюсь в блаженное, безмятежно-созерцательное состояние.

Когда Рябинин садится в свою тележку и жалуется приказчику на выкрутасы господ, тот спрашивает:

— А с покупочкой, Михаил Игнатьич?

В ответ купец ухмыляется:

— Ну, ну...

Как часто мы делаем поспешные заключения о людях, исходя из их внешности и положения в обществе. Рябинину, умеющему счесть песчинки в море, ловкому актеру и блестящему манипулятору, нет дела до предрассудков, которые определяют отношение к нему. Он низкого происхождения, но умен от природы и за славой не гонится. А печется о другом: о собственной выгоде и том, как бы повежливее облапошить вершителей дурацкой системы, которая отводит ему место презренного плебея, но не может ему помешать. Так же и я, бедная консьержка, смирилась со скудостью своей жизни, но не укладываюсь в систему, нелепую до дикости, и в глубине души, куда никому не проникнуть, каждый день потихоньку над ней насмехаюсь.

Глубокая мысль № 8

Кто не думает
О будущем,
Теряет настоящее.

Сегодня мы ездили в Шату к бабушке Жосс, папиной матери, которая вот уже две недели находится в доме престарелых. Отвозил ее туда папа, а теперь мы поехали все вместе. Жить одна в своем большом доме там же, в Шату, бабушка больше не может: она почти ослепла и у нее такой артроз, что почти не действуют руки и ноги. Ее дети (папа, дядя Франсуа и тетя Лора) пытались выйти из положения, наняв сиделку, но никакая сиделка не будет работать круглосуточно, а кроме того, все бабушкины подруги уже переселились в дом престарелых, так что это решение представлялось вполне приемлемым.

Бабушкин дом престарелых — это нечто! Страшно подумать, во сколько обходится в месяц такая роскошная умиральня! У бабушки тут просторная светлая спальня с хорошей мебелью и красивыми шторами, а при ней небольшая гостиная и туалетная комната с мраморной ванной. Мама с Коломбой так разахались над этой ванной, как будто бабушке, с ее каменными пальцами, не все равно, мраморная она или нет. И вообще мрамор — это ужасно пошло. Папа все больше помалкивал. Я понимаю, ему стыдно, что его мать в доме престарелых. «Но не можем же мы взять ее к себе!» — сказала ему мама, когда они оба думали, что я не слышу (а я все слышу, особенно то, что не предназначено для моих ушей). А он ответил: «Нет, Соланж, конечно нет!» — и в его тоне читалось: «Этим покорным горестным „нет, нет" я показываю, что соглашаюсь, как положено хорошему мужу, но думаю совсем

130

иначе, и таким образом выдерживаю благородную роль». Мне этот папин тон давно знаком. Он означает: «Я знаю, что я трус, но не смейте мне этого говорить». Подтекст сработал. «Ты просто трус! — сказала мама и яростно швырнула в раковину какую-то тряпку. Почему-то у нее такая манера: как рассердится, так обязательно надо чем-нибудь кидаться. Однажды ей под руку подвернулась Конституция и тоже пострадала. — На самом деле тебе этого хочется не больше, чем мне!» Она уже подхватила тряпку и размахивала ею у папы перед носом. «Во всяком случае, что сделано, то сделано», — сказал папа, и это уж точно был ответ законченного труса.

Лично я очень рада, что бабушка не будет жить у нас. Хотя вообще-то места для нее в нашей четырехсотметровой квартире вполне хватило бы. Как-никак, старики имеют право на уважительное отношение. А дом престарелых — это уже полное неуважение. Когда человек туда отправляется, он хорошо понимает: «Со мной все кончено, я больше ничего не значу, все, в том числе я сам, ждут только одного: моей смерти, гнусного конца затянувшейся истории». Нет, если я не хочу, чтобы бабушка жила у нас, то только потому, что я ее не люблю. Противная старуха, которая и в молодости была не лучше. Все это тоже страшно несправедливо. Возьмите какого-нибудь симпатичного старичка, скажем бывшего водопроводчика, который всю жизнь делал всем только хорошее, умел любить, щедро раздавал любовь и получал ее от близких, был связан с ними теплыми, душевными отношениями. Жена его умерла, дети небогаты, и у них самих полно детей, которых надо кормить и воспитывать. Да и живут они на другом конце страны. И вот его помещают в дом престарелых в его родном захолустье, где родные могут проведывать его не чаще чем два раза в год, — обычный дом престарелых для бедняков, в каждой комнате по несколько человек, кормят отвратительно, а персонал знает, что их самих ждет такая же участь, и срывает злость на контингенте. А теперь посмотрите на мою бабушку: всю жизнь она только и делала, что кривлялась, устраивала светские приемы, сплетничала и, прикидываясь скромницей, тратила деньги почем зря, — так заслужила ли она эту изящную спальню, отдельную гостиную и морские гребешки на обед? Разве угасание в тесноте и убожестве — достойная награда за любовь? А мраморная ванна в дорогущих апартаментах — расплата за бесчувственность?

Ну, не люблю я бабушку, да и она меня не очень-то любит. Зато обожает Коломбу, и та отвечает ей взаимностью, то есть дожидается наследства с очень натуральным бескорыстием девушки-которая-вовсе-не-дожидается-наследства. Я заранее знала, что этот денек в Шату будет кошмарным, и точно: мама и сестрица восторгались мраморной ванной; папа ходил со смурной миной, будто проглотил зонтик; по коридору толкали каталки с подключенными к капельницам живыми мощами; какая-то помешанная старуха (Коломба — ну не тупица? — с умным видом произнесла: «Альцгеймер!») назвала меня «душечкой Кларой», а через две секунды завопила, чтоб ей немедленно привели ее собаку, и едва не выбила мне глаз здоровенным бриллиантовым перстнем; а другая старуха чуть не удрала! Всем ходячим старикам надевают на руку электронный браслет, и, если они пытаются выйти за ограду учреждения, внизу на посту срабатывает звонок. Персонал несется вдогонку за беглецом, который успевает просеменить метров сто, его хватают, а он громко протестует — тут, дескать, не ГУЛАГ, — требует директора и судорожно дергается, пока его не усаживают в кресло на колесах. Отчаянная бабуся, которая пустилась в бега сегодня, сразу после обеда переоделась в дорогу: надела платье в горошек с воланами — самый практичный наряд для перелезания через забор. К двум часам, насмотревшись на все это: на ванну, на обед с морскими гребешками, на эффектный «побег Эдмона Дантеса», я готова была взвыть.

Но вдруг вспомнила: я же решила отныне не разрушать, а созидать. Тогда я огляделась по сторонам, ища что-нибудь позитивное и стараясь не натыкаться глазами на Коломбу, но ничего не нашла. Одни ждущие смерти и не знающие, куда деваться, старые люди. Выход — ну не чудо ли! — подсказала Коломба. Да-да, Коломба. Когда мы, поцеловав на прощанье бабушку и пообещав скоро опять навестить ее, наконец уехали, моя сестрица вздохнула: «Что ж, бабушка, кажется, неплохо устроилась. А что до остального... поспешим поскорее все забыть». Не будем придираться к мелочам вроде «поспешим поскорее», а выделим главное: «все забыть».

И сделаем наоборот: постараемся не забывать. Надо запомнить этих хворых стариков, стоящих на пороге смерти, о которой молодые не желают думать (и потому препоручают дому престарелых без лишнего шума и эмоций перевести своих родителей через этот порог), загубленную радость последних часов, которой они имели право насладиться сполна, а вместо этого изнывают от скуки, тоски и однообразия. Запомнить, что тело дряхлеет, друзья умирают, что все про вас забывают и что конец ужасен. Надо помнить и то, что эти старики когда-то были молодыми, что жизнь пролетает очень быстро — сегодня тебе двадцать лет, а завтра, не успеешь оглянуться, все восемьдесят. Коломба считает, что надо «поскорее забыть», потому что она, как ей кажется, состарится еще не скоро, почти что никогда. Я же очень рано поняла, что жизнь проносится страшно быстро, — и поняла это, глядя на взрослых: как они спешат, как падают духом из-за неудач и как цепляются за сегодняшний день, лишь бы не думать о завтрашнем. Но завтрашнего дня боятся те, кто не умеет строить сегодняшний, а когда люди не могут ничего выстроить сегодня, они уговаривают себя, что у них все получится завтра, но так не бывает, потому что завтра всегда превращается в сегодня, понимаете?

Вот почему надо помнить. Надо жить и твердо знать, что мы состаримся и в этом не будет ничего хорошего, красивого и приятного. Надо уяснить себе, что важно действовать сегодня: делать все возможное, чтобы любой ценой построить что-нибудь сегодня. Всегда держать в голове дом престарелых, чтобы постоянно забегать на день вперед, не давая ему пропасть. Шаг за шагом взбираться на свой личный Эверест, так чтобы каждый шаг отпечатывался в вечности.

Будущее для того и нужно, чтобы строить настоящее, исходя из реальных планов ныне живущих.

Грамматика

1. БЕСКОНЕЧНАЯ МАЛОСТЬ

Сегодня утром Жасента Розен представила мне нового владельца квартиры Артансов.

Его зовут Какуро Как-то-там. Я не расслышала — мадам Розен вообще говорит всегда так, будто у нее во рту таракан, а тут еще как раз в этот момент открылась дверь лифта и вышел расфуфыренный месье Пальер-старший. Он величаво кивнул нам и устремился к выходу порывистым шагом страшно занятого крупного промышленника.

Новенький — господин лет шестидесяти, весьма импозантного и весьма японского вида. Он невысокого роста, довольно щуплый, с морщинистым, но открытым лицом. Весь его облик дышит дружелюбием, кроме того, в нем чувствуется решительный, веселый нрав и добродушие.

Сейчас он стоит и терпеливо выслушивает Жасенту Розен, которая истерически кудахчет, будто курица перед кучей зерна.

Мне он успел сказать только: «Добрый день, мадам» — на чистом, без всякого акцента французском.

На мне сегодня униформа дебильной консьержки. Это по случаю знакомства с новым жильцом: у него еще не сложилось машинальной уверенности в том, что я тупица, а чтобы она выработалась, мне придется употребить несколько специальных воспитательных приемов. Так, например, на все кудах-тах-тах Жасенты Розен я апатично отвечаю: «да», «да», «да».

— Покажите месье Как-то-там (Шу?) места общего пользования!

— Объясните месье Как-то-там (Пшу?), когда и как у нас разносят почту!

— Завтра между десятью и половиной одиннадцатого придут отделочники. Дождитесь их и проводите в квартиру месье Как-то-там (Опшу?)!

И так далее.

Месье Как-то-там, само спокойствие и учтивость, смотрит на меня с любезной улыбкой. На мой взгляд, все идет хорошо. Мадам Розен вот-вот иссякнет, и я снова заползу в свое логово.

Так нет же!

— Половик перед дверью Артансов остался невычищенным. Могу я вам *об этом* поручить?

И почему это комедия не может не приобрести трагический оттенок? Я и сама, конечно, иной раз допускаю ошибки, хотя и в целях самообороны. Когда, например, спросила у Шабро: «Никак, инфарк его хватил?» — чтобы разбавить свои уж больно изысканные речи.

Так что я не настолько чувствительна, чтобы терять голову из-за легкой корявости. Тем более что Жасента Розен со своим тараканом во рту родилась в многоквартирном улье с грязными лестницами, и я отношусь к ней терпимее, чем к мадам Вы-не-могли-бы-запятая-получить.

Трагично не это, а то, что, когда Жасента произнесла «об этом поручить», я вздрогнула, месье

138

Как-то-там тоже, и наши взгляды встретились. С этой самой бесконечно малой доли секунды, когда по общей боли, пронзившей нас одновременно, и по тому, как она выдала себя мгновенным трепетом, мы распознали — я уверена! — друг в друге братьев во языке, — с этой самой доли секунды месье Как-то-там стал смотреть на меня иначе.

С подозрением.

— Вы знали Артансов? — заговорил он со мной. — Я слышал, это была необыкновенная семья.

— Нет, — отвечаю я со всей возможной осмотрительностью. — Я не очень-то с ними водилась. Обычная семья, такая же, как все другие в этом доме.

— Конечно, счастливая семья, — встревает мадам Розен, которой не терпится закруглить разговор.

— Ну да, все счастливые семьи похожи друг на друга, — бормочу я, чтобы отделаться. Что тут еще скажешь!

— Зато каждая несчастливая семья несчастлива по-своему, — говорит новенький, все так же странно глядя на меня.

И тут я снова вздрогнула. Клянусь, нечаянно! Не сдержалась, дала маху, потеряла контроль над собой!

Беда никогда не приходит одна. Мой Лев не мог выбрать лучшего времени, чтобы просочиться между нашими ногами и мимоходом потереться о брючину месье Как-то-там.

— У меня тоже есть кошка и кот, — сказал он. — А позвольте спросить, как зовут вашего?

— Лев, — ответила за меня Жасента Розен и, закончив на этом, решительно взяла жильца под локоть, не глядя кивнула мне и потянула его к лифту. Он же чрезвычайно деликатно прикоснулся к моей руке, слегка пожал ее и со словами: «Благодарю вас» — последовал за настойчиво кудахчущей хозяйкой.

2. ВНЕЗАПНОЕ НАИТИЕ

Знаете, что значит «нечаянно»? Психоаналитики объявляют нечаянные слова и действия плодом коварных происков затаившегося подсознания. Но это просто вздор! Они — ярчайшее проявление сознательной силы воли, которая пускает в ход любые уловки, чтобы преодолеть сопротивление чувств и добиться своего.

— Получается, я хочу, чтобы меня разоблачили, — сказала я Льву, который вернулся к родным пенатам и, готова поспорить, вступил в сговор со всем светом, чтобы выполнить это мое желание.

«Все счастливые семьи похожи друг на друга, каждая несчастливая семья несчастлива по-своему» — это первая фраза «Анны Карениной», книги, которую порядочной консьержке читать не положено; предположить же, что, услышав вторую часть фразы, она вздрогнула, пронзенная внезапным наитием и не зная, что это строчки из Толстого, недопустимо: ведь если красота классической литературы доступна восприятию маленьких людишек, которые с ней незнакомы, это умаляет ее престиж в глазах людей образованных.

Целый день я пыталась убедить себя, что зря волнуюсь и что месье Как-то-там, обеспеченному настолько, чтобы купить весь пятый этаж, недосуг размышлять о нервном тике недоразвитой консьержки.

А в семь часов вечера в дверь привратницкой позвонил незнакомый молодой человек.

— Здравствуйте, мадам, — сказал он, очень четко выговаривая слова. — Меня зовут Поль Н'Гиен, я личный секретарь месье Одзу. — Он протянул мне свою визитку. — Вот мой мобильный телефон. К месье Одзу будут приходить мастера, и мы не хотели бы причинять вам лишние хлопоты. Звоните мне при малейшем затруднении, я тотчас спущусь.

Как вы могли заметить, дочитав до этого места данной сценки, в ней явно хромает диалог, который, как правило, обильно оснащен тире, отмечающими переход речи от одного персонажа к другому.

Здесь должна была последовать моя реплика — что-нибудь вроде:

— Благодарю вас, месье.

Или:

— Хорошо, позвоню непременно.

Но ничего похожего не наблюдается.

А дело в том, что, хоть на этот раз у меня не было причины заставлять себя молчать, я попросту онемела.

Прекрасно помню, что открыла рот да так и застыла, не в силах выжать из себя ни звука и искренне жалея милого пригожего молодого человека, который вынужден смотреть на лягуху в семьдесят кило по имени Рене.

Обычно в таком случае герой вопрошает:

— Вы говорите по-французски?

Но Поль Н'Гиен вежливо улыбается и ждет.

Ценой титанического усилия мне удается прорвать немоту.

Хотя и не с первой попытки. Сначала я беспомощно квакнула:

— Кка... кха...

Молодой человек все с тем же великолепным самообладанием продолжал ждать.

— Месье Одзу? — просипела я наконец голосом, живо напоминающим Юла Бриннера[1].

— Месье Одзу, точно так, — отозвался он. — Вы не знали его имени?

— Не знала, — все еще с трудом подтвердила я. — Вернее, не разобрала. Как оно пишется?

— О-д-з-у.

— Ага, понятно. Японское имя?

— Вы правы, мадам. Месье Одзу — японец.

Молодой человек галантно прощается, я тоже что-то хрипло бормочу, закрываю за ним дверь и падаю на стул, прямо на несчастного Льва.

Месье Одзу. Может, я сплю и мне снится сон со всякой чертовщиной, разными хитросплетениями, наваждениями, ужасами, бесконечными совпадениями и заключительной сценой пробуждения в ночной рубашке, с тяжеленным котищем на ногах и истошным ором настроенного на «Франс-Интер» будильника?

---

[1] *Бриннер Юл* (1920–1985) — американский актер, скончавшийся от рака легких.

Но мы отлично знаем, что сон и явь имеют разную фактуру, и, тщательно проверив показания своих чувственных датчиков, я могу уверенно сказать, сплю я или бодрствую.

Одзу! Может, он сын великого режиссера? Или племянник? Или хоть какой-нибудь дальний родственник?

Ну и ну!

Глубокая мысль № 9

Угощать соседку,
Которую терпеть не можешь,
Пирожными от Ладюре,
Еще не значит видеть
Кого-то, кроме себя.

Квартиру Артансов купил японец! Его зовут Какуро Одзу! Вечно мне так везет: надо же было такому случиться, когда я вот-вот умру! Двенадцать лет томиться культурным голодом, а когда на горизонте появляется настоящий японец, мне пора собираться на выход! Вопиющая несправедливость.

Но есть в этом и кое-что хорошее: по крайней мере, он тут рядом, а вчера у нас с ним был интересный разговор. Надо сказать, все обитатели нашего дома без ума от месье Одзу. Мама только о нем и говорит, а папа, как ни странно, слушает — обычно-то, когда она перемывает косточки соседям, он думает о своем. Коломба стащила у меня учебник японского, и, что уж совсем невероятно, мадам де Брольи заглянула к нам попить чайку. Мы живем на шестом этаже, прямо над бывшей квартирой Артансов, где последнее время идет ремонт, и какой! Ясно, что месье Одзу решил все переделать по-своему, и всем страшно хотелось посмотреть, что он там придумал. В мире ископаемых малейший камешек, сорвавшийся со склона, может вызвать эпидемию сердечных приступов, а что уж говорить, когда взрывают гору!

Так вот, мадам де Брольи страшно хотелось очутиться на пятом этаже, и когда на прошлой неделе она встретилась с мамой в парадном, то напросилась к нам в гости. А знаете, под каким предлогом? Прямо смех! Мадам де Брольи — жена государственного советника, который живет у нас на втором этаже. Членом Госсовета он стал при

Жискар 'Эстене, и консерватизм его доходит до того, что он демонстративно не замечает разведенных женщин. Коломба зовет его «старым фашистом» — она никогда не читала о французских правых, а папа считает его ярким примером политического склероза. Жена у него соответственная: английский костюм, жемчужное ожерелье, поджатые губы и куча внуков и внучек, которых зовут Грегуарами или Мари. До сих пор она с мамой едва здоровалась (мама социалистка, она красит волосы и носит остроносые туфли). Но на той неделе мадам де Брольи набросилась на нас с мамой так, будто от этого зависела ее жизнь. Мама была в приподнятом настроении — ей посчастливилось купить льняную скатерть натурального цвета за двести сорок евро. С самого начала разговора я решила, что у меня слуховые галлюцинации. После обычного обмена приветствиями мадам де Брольи сказала: «У меня к вам просьба», и как у нее только язык не отнялся! А мама ей с любезной улыбкой (спасибо удачной покупке и таблетке антидепрессанта): «Буду рада помочь вам». — «Дело в том, что моя невестка, жена Этьена, сейчас не в очень хорошем состоянии, и вот я думаю, как бы ее полечить». — «Вот как?» — Мамина улыбка стала еще шире. — «Ну да, тут, наверное, подошло бы что-то вроде… психоанализа». — Мадам де Брольи выглядела как улитка посреди Сахары, но держалась изо всех сил. «Понимаю-понимаю, — сказала мама. — И чем я могу быть полезной?» — «Ну… я подумала, что вы должны разбираться… э-э… в таких вещах, и… хотела бы с вами посоветоваться». Мама не могла поверить такому счастью: дерюжная скатерть — это раз, возможность блеснуть эрудицией в области психоанализа — это два, да еще сама мадам де Брольи так перед ней расшаркивается — вот это денек так денек! Все же она не устояла, чтобы не уколоть мадам де Брольи, потому что отлично видела, откуда ветер дует. Пусть моя мамочка не отличается особой тонкостью ума, но провести ее не так легко. Она отлично понимала, что де Брольи, интересующиеся психоанализом, — вещь такая же правдоподобная, как голлисты, поющие «Интернационал», и что причина ее успеха в том, что лестничная площадка шестого этажа находится прямо над площадкой пятого. Несмотря на это, она решила проявить великодушие, пусть мадам де Брольи оценит ее доброту и увидит, что социалисты — люди широких взглядов, но только сначала пусть чуточку помучается. «Ну разумеется, я к вашим услугам, — проворковала она. — Хотите, я спущусь к вам на днях и мы поговорим?» Такого оборота дела советница не ждала и явно растерялась, но быстро овладела собой и светским тоном возразила: «Что вы, что вы, не хочу затруднять вас, лучше я сама к вам поднимусь!» Мама, натешив свое злорадство, сжалилась. «Сегодня я весь вечер дома, — сказала она. — Приходите, если вам удобно, часам к пяти, попьем чаю».

Чайная церемония прошла на высоком уровне. Мама накрыла стол по всем правилам: чайный сервиз, подарок бабушки, с позолотой и розово-зелеными бабочками, миндальные пирожные от Ладюре, — хотя сахар подала коричневый (обозначение левых взглядов). Мадам де Брольи, уж конечно, успела добрых четверть часа проторчать на площадке этажом ниже и выглядела несколько смущенной, но довольной. И еще слегка удивленной. Наверное, наш дом представлялся ей совсем по-другому. А уж мама вовсю демонстрировала свои прекрасные манеры, светские таланты и глубокие познания в сортах кофе, пока наконец не сочла нужным, участливо склонив голову, спросить: «Так вы сказали, вас беспокоит состояние невестки?» — «Э-э, ну да... — промычала мадам де Брольи. Похоже, она уже позабыла, какой придумала предлог для визита, и теперь подыскивала, что бы сказать. — Понимаете, у нее депрессия». Ничего лучшего, видимо, не придумалось. И тут уж мама развернулась. Зря, что ли, она разбивалась в лепешку, теперь ее очередь наслаждаться. Она закатила мадам де Брольи целую лекцию о фрейдизме, приправив ее смачными анекдотцами из сексуальной жизни мессии психоанализа и апостолов (включая байку

147

про Мелани Кляйн) и ввернув пассажи о феминизме и отделении школы от церкви. В общем, по полной программе. Мадам де Брольи повела себя как добрая христианка. Стоически перенесла оскорбление, вероятно решив, что это заслуженное и не слишком тяжелое наказание за грех любопытства. Собеседницы разошлись довольными, каждая по-своему. За ужином мама сказала: «Эта де Брольи хоть и святоша, но очень милая женщина».

Короче говоря, месье Одзу взбудоражил весь дом. Олимпия Сен-Нис сказала Коломбе (которая терпеть ее не может и называет «чокнутой курицей»), что у него есть два кота и что ей не терпится их увидеть. Жасента Розен следит за всем, что происходит на пятом этаже и аж дрожит, когда об этом заходит речь. Меня тоже интересует новый жилец, но в силу особых причин. И вот с чего все началось.

Однажды я поднималась в лифте вместе с месье Одзу, и вдруг кабина застряла. Мы проторчали целых десять минут между третьим и четвертым этажом, а все потому, что какой-то недотепа сначала собирался ехать вниз на лифте, а потом передумал и пошел по лестнице, но оставил дверь шахты приоткрытой. В таких случаях надо или ждать, пока кто-нибудь сообразит, в чем дело, или кричать и звать на помощь кого придется, стараясь при этом не терять достоинства, что не так-то просто. Мы кричать не стали. А воспользовались этим временем, чтобы поближе познакомиться. Любая из наших женщин продала бы душу, чтобы очутиться на моем месте. Конечно, мне, с моей японской жилкой, было приятно поговорить с настоящим японцем. Но главное, мне понравилось содержание нашего разговора. Сначала он сказал: «Твоя мама говорит, что ты учишь в школе японский. И далеко ты продвинулась?» Я отметила про себя, что мама не упустила случая похвастаться, и сказала по-японски: «Да, месье, я немножко знаю японский, но еще не очень хорошо». Он ответил тоже по-японски: «Если хочешь, я мог бы поучить тебя правильному произношению», — и тут же повторил это по-французски. Это было здорово! Ведь большинство сказало бы: «О, как ты хорошо разговариваешь, браво!» — хотя, уж наверное, произношение у меня кошмарное. Я сказала, что хочу, он поправил ударение в одном слове и продолжал по-японски: «Называй меня Какуро». — «Хорошо, Какуро-сан», — сказала я опять-таки по-японски, и мы оба засмеялись. А потом мы перешли на французский, и тут-то случилось самое странное. Ни с того ни с сего он вдруг говорит: «Что ты думаешь о нашей консьержке, мадам Мишель? Я бы очень хотел побольше узнать о ней». Другие стали бы ходить вокруг да около, а он так прямо и сказал. И еще прибавил: «По-моему, она совсем не то, чем кажется».

С некоторых пор у меня тоже появились такие подозрения. На первый взгляд консьержка как консьержка. Но если присмотреться... да хорошенько... то увидишь: что-то тут не так! Коломба терпеть ее не может и относит к отбросам человечества. Однако для Коломбы все, кто не укладывается в культурную норму, — отбросы человечества, а ее культурная норма — это принадлежность к правящей верхушке плюс блузки фирмы «Аньес Б.». Мадам Мишель... Как бы это сказать? В ней чувствуется ум. Хотя она явно старается скрыть его, делает все возможное, чтобы выглядеть заурядной консьержкой, притворяется тупицей. Но я-то не раз наблюдала за ней, когда она разговаривала с Жаном Артансом или с Нептуном за спиной у Дианы, видела, как она смотрит на здешних важных дам, когда они проходят мимо нее, не здороваясь. В ней есть элегантность ежика: снаружи сплошные колючки, не подступиться, но внутри... что-то подсказывает мне, что внутри ее отличает та же изысканная простота, какая присуща ежикам, зверькам апатичным — но только с виду, никого к себе не подпускающим и очень-очень славным.

Только не подумайте, что я такая уж особенно проницательная. Если бы не один случай, я бы видела в мадам Мишель то же, что видят другие: обыкновенную консьержку с дежурной кислой миной. Этот случай произошел совсем недавно, и до чего же странно, что месье Одзу задал мне такой вопрос как раз сейчас! Недели две тому назад Антуан Пальер нечаянно толкнул мадам Мишель, которая открывала дверь привратницкой, и она уронила свою кошелку. Антуан — сын Пальера-старшего, промышленного туза с седьмого этажа, который вечно учит папу, как надо управлять страной, а сам продает оружие опасным бандитам по всему миру. Сын — парень вроде безобидный, хотя бы просто потому, что недоумок, а впрочем, кто его знает: паскудство нередко передается по наследству. Так вот, значит, Антуан Пальер выбил кошелку из рук мадам Мишель, и из нее все вывалилось: несколько головок свеклы, пачки лапши быстрого приготовления, бульонные кубики, кусок хозяйственного мыла, а дальше всего, как я мельком увидела, отлетела книга. Я говорю «мельком», потому что мадам Мишель тут же кинулась все подбирать, глянув на Антуана не просто сердито (тому и в голову не приходило помочь ей), но и тревожно. Он-то ничего не заметил, зато мне хватило нескольких секунд, чтобы понять, какую книгу принесла в кошелке мадам Мишель, вернее, какого рода эта книга, потому что с тех пор, как Коломба поступила на философский, у нее весь стол завален точно такими же. Это книга издательства «Врен», которое специализируется исключительно на академических трудах по философии. Я не Антуан Пальер и не могла не задаться вопросом: что делает такой том в кошелке консьержки и на что он ей нужен?

Вот почему я ответила месье Одзу, что тоже так думаю, и в тот же миг между нами завязались особые отношения: из соседей мы превратились в сообщников. Мы обменялись впечатлениями о мадам Мишель, месье Одзу сказал, что готов поспорить: она принцесса инкогнито и очень образованная женщина. И прежде чем расстаться, мы сговорились продолжать расследование.

Так вот моя глубокая мысль на сегодня: я первый раз встречаю человека, которому интересны другие люди и который видит не только себя. Это кажется банальным, и все-таки, по-моему, достаточно глубоко. Ведь мы видим только то, в чем заведомо уверены, а главное, не ищем новых встреч, а встречаемся все время только с собственными зеркальными отражениями, хоть и не узнаем в них себя. Если бы мы это поняли, если бы до нас дошло, что мы во всех и каждом видим лишь самих себя и потому живем в полном одиночестве, то сошли бы с ума. Когда мама угощает мадам де Брольи пирожными от Ладюре, она сама себе рассказывает про себя же и сама собою лакомится; когда папа попивает свой кофе и читает газету, он разглядывает и заговаривает сам себя — что-то вроде сознательного самовнушения по методу Эмиля Куэ; когда Коломба восхищается лекциями профессора Мариана, она расхваливает свое отражение; а когда люди проходят мимо консьержки, они видят пустое место, потому что консьержка — это никак не они.

Господи, хоть бы мне было дано видеть кого-то, кроме себя, и искать настоящих встреч!

3. ПОД ЧЕХЛОМ

Прошло несколько дней.

Во вторник, как всегда, ко мне зашла Мануэла. Пока она входила, я услышала через открытую дверь, как Жасента Розен, стоя в ожидании надолго занятого лифта, щебечет молодой мадам Мерисс:

— Мой сын говорит, что все китайцы страшно привередливые!

Таракан во рту делает свое дело — мадам Розен произносит не «китайцы», а «кютайцы».

Хорошо бы когда-нибудь съездить в Кютай! Там, уж верно, куда интереснее, чем в Китае.

— Он уволил баронессу, — говорит Мануэла. У нее блестят глаза и румянец на щеках. — И всех остальных тоже!

— Кто? — спрашиваю я с непонимающим видом.

— Месье Одзу, конечно! — Мануэла смотрит на меня укоризненно.

Вот уже две недели, как месье Одзу вселился в квартиру покойного Пьера Артанса, и весь дом не перестает обсуждать это событие. Появление нового жильца с безумными затеями, которые, по его распоряжению, выполняют толпы специалистов — их так много, что Нептун даже устал всех обнюхивать, — появление такой личности в этих стенах, где до сих пор все было неизменно и царили ледяная спесь и праздность, вызвало бурю самых разных эмоций: от восторга до негодования. Заученный хороший тон, то есть приверженность традициям и соответственно презрение ко всему, что так или иначе отдает свежеприобретенным богатством, — в число таких вещей входит озабоченность убранством жилища, покупка дорогой техники и манера часто заказывать на дом блюда из ресторана, — боролся с чувством более глубоким, идущим из самого нутра этих жертв скуки: с жаждой нового. Так или иначе, но в течение этих двух недель все обитатели дома номер семь по улице Гренель с замиранием души следили за мельтешением маляров, столяров, сантехников, мастеров по установке кухонного оборудования, доставщиков мебели, ковров, электроники и, наконец, грузчиков при переезде, которых месье Одзу нанял с очевидным намерением все кардинально переделать на пятом этаже, и все старались найти случай заглянуть туда. Жоссы и Пальеры теперь не доезжают до своих квартир на лифте, а каждый раз выходят на пятом и на диво бодро пробегают оставшиеся этаж или два пешком и так же спускаются, — таким образом, площадка пятого стала для них неминуемым пунктом на пути домой и из дома. Остальные им завидуют. Бернадетта де Брольи придумала предлог, чтобы напроситься на чай к Соланж Жосс, несмотря на то что та социалистка, а Жасента Розен увидела пакет, оставленный в привратницкой для Сабины Пальер, и вызвалась передать его в руки адресату; я была только рада избавиться от лишней заботы, но для виду долго ломалась, прежде чем уступить.

Лишь я старательно избегаю месье Одзу. Пару раз мы встретились в вестибюле, но он был не один и только вежливо здоровался, я отвечала тем же. Учтивость, безличная любезность — ничего другого не проявлялось в его поведении. Но подобно тому, как безошибочное чутье позволяет детям распознавать истинную сущность человека под чехлом условностей, мой внутренний радар исходил тревогой, сигнализируя, что месье Одзу упорно за мной наблюдает.

Между тем во всех случаях, когда требовалось непосредственно снестись со мною, это делал его секретарь. Я совершенно уверена, что в ошеломительном впечатлении, которое произвело на местных старожилов появление месье Одзу, немалую роль сыграл Поль Н'Гиен. Такого красивого молодого мужчину не часто встретишь. От отца, выходца из Вьетнама, он унаследовал азиатскую утонченность и непроницаемое спокойствие. А от матери-белоруски — европейские черты: высокий рост, славянскую скуластость и светлые, лишь слегка раскосые глаза. Сила сочетается в нем с изяществом, мужская красота оттеняется восточной мягкостью.

О том, кто его родители, я узнала от него самого. В тот вечер ему пришлось изрядно побегать и потрудиться, а потом он заглянул ко мне — предупредить, что рано утром нагрянет новая партия доставщиков, и я пригласила его на чашку чая. Он легко согласился. Беседа получилась восхитительно непринужденной. Кто бы мог подумать, что такой молодой, красивый человек, блестящий профессионал — вот уж в чем в чем, а в этом мы все убедились, глядя, как он умеет организовать работы и без видимого раздражения или напряжения спокойно довести их до конца, — может быть лишен даже капли снобизма! А когда он, сердечно поблагодарив меня, ушел, я вдруг поняла, что забыла с ним о всякой осторожности и перестала притворяться.

Однако вернемся к сегодняшнему дню.

— Он уволил баронессу и всех остальных тоже!

Мануэла так и сияла. Уезжая из Парижа, Анна Артанс обещала Виолетте Грелье, что рекомендует ее новому владельцу квартиры. Месье Одзу уважительно отнесся к пожеланиям вдовы, поскольку, покупая ее имущество, в какой-то мере наносил ей душевную травму, согласился поговорить с ее людьми и взять их, если они ему подойдут. Пользуясь протекцией Анны Артанс, Грелье могли бы устроиться в любой богатый дом, но Виолетте втемяшилось остаться здесь, где, по ее словам, она провела лучшие годы своей жизни. «Уйти отсюда все равно что умереть, — говорила она Мануэле. — Вас, моя милая, это, конечно, не касается. Придется уж вам смириться».

— Мне смириться, как бы не так! — ликовала Мануэла. Похоже, посмотрев, по моему совету, «Унесенных ветром», она вошла в образ Скарлетт. — Это она уходит, а я остаюсь!

— Месье Одзу оставляет вас? — спросила я.

— Еще как оставляет, вы себе не представляете! Берет на полный день, на двенадцать часов, и платить будет, как принцессе!

— На двенадцать часов? А как же вы со всем справитесь?

155

— Уйду от мадам Пальер! Уйду от мадам Пальер! — Ее распирало от счастья, и, чтобы насладиться им сполна, она повторила еще раз: — Ну да, я уйду от мадам Пальер.

Мы обе помолчали, нежась в этой лавине радостных событий.

— Я заварю чай, — сказала я наконец, выходя из блаженной прострации. — По такому случаю — белый!

— Ох, чуть не забыла! — воскликнула Мануэла. — Это вам.

И достала из сумки мешочек из мягкой серой бумаги.

Я развязала бархатную тесемку. Внутри, как черные бриллианты, поблескивали лепешечки темного шоколада.

— Он будет платить мне двадцать два евро в час, — сказала Мануэла. Она поставила на стол чашки и снова села, предварительно самым учтивым образом предложив Льву пойти поразмяться. — Двадцать два евро! Каково? Другие платят восемь, десять, ну, одиннадцать! Взять хоть эту *кривлюку* Пальер — всего восемь евро, да еще выгребай ее грязные трусы из-под кровати!

Мне стало смешно.

— А у него, может, придется грязные кальсоны из-под кровати выгребать!

— Ну нет, не такой он человек. — Мануэла помолчала. — Главное, чтоб я со всем справилась. Там у него много разных, знаете, заковыристых штучек. И еще полно этих... *вонзаев*, надо их поливать и опрыскивать.

Мануэла имеет в виду бонсай месье Одзу. Довольно большие стройные деревца, которые, в отличие от тех, что мы привыкли видеть, совсем не производят отталкивающего впечатления какого-то нарочитого уродства. Когда их выгружали тут, в вестибюле, мне показалось, будто они прибыли из другого века, а их кроны так шумели, что на миг я словно очутился в далеком лесу.

— Я и представить себе не могла, что дизайнеры могут такое сотворить! Они все разломали и переделали заново!

В понимании Мануэлы дизайнер — это такое эфирное создание, раскладывает подушечки на роскошных диванах и, отступив на два шага, смотрит, хорошо ли получилось.

Еще на прошлой неделе, запыхавшись от беготни по лестницам с огромной метлой в руках, она сказала мне:

— Они сносят стенки кувалдами! Теперь так красиво стало! Вот бы вы как-нибудь посмотрели!

Чтобы отвлечь Мануэлу от темы, которая слишком ее возбуждает, я спросила:

— А как зовут его кошек?

— Они просто великолепные! — с жаром сказала она и участливо посмотрела на Льва. — Такие изящные, ходят бесшумно и извиваются вот так...

Она сделала змеистое движение рукой.

— Но зовут-то их как? — повторила я.

— Кошку — Кити, а кота... что-то не помню.

Капля холодного пота стремительно прокатилась у меня по спине.

— Левин? — предположила я.

— Вот-вот! Левин. Откуда вы знаете? — Мануэла сморщила лоб. — Неужели это тот революционер?

— Нет. Революционер — это Ленин. А Левин — герой одного великого русского романа. Кити тоже оттуда, это женщина, которую он любит.

— Он поменял все двери. — Мануэла опять за свое. Великие русские романы ее, видимо, не очень интересуют. — Поставил раздвижные. И правда, так гораздо удобнее! Не понимаю, почему везде так не делают? Место освобождается, и шума никакого.

Совершенно верно! Мануэла всегда восхищала меня удивительным здравомыслием. Однако на этот раз ее простые слова отозвались во мне радостным волнением совсем по другой причине.

4. ДРОБНОСТЬ И НЕПРЕРЫВНОСТЬ

Вернее, причин две, и обе они связаны с фильмами Одзу.

Первая — это сами раздвижные двери. С самого первого его фильма, «Вкус риса с зеленым чаем», меня поразило японское жилище и эти раздвижные двери, которые тихо скользят по невидимым рельсам, не разрубая помещение. Мы же, когда открываем дверь, варварски его кромсаем. Нарушаем гармонию внутреннего пространства какой-то несуразной по форме и размерам амбразурой. Если вдуматься, нет ничего уродливее открытой двери. В одну из смежных комнат она вламывается с бесцеремонностью провинциала. Другую портит провалом, нелепой брешью, зияющей в стене, которая, может, предпочла бы оставаться целой. В обоих случаях единство приносится в жертву удобству передвижения, но его можно достигнуть и другими средствами. Иное дело — раздвижная дверь: ничего не торчит, и пространство не страдает. Оно может трансформироваться, не теряя соразмерности. Когда такая дверь открывается, два помещения сливаются, не уязвляя друг друга. А когда закрывается, каждое снова обретает цельность. Жизнь в таком доме — мирная прогулка, у нас же — взлом на взломе.

— Это правда, — сказала я Мануэле. — Гораздо удобнее и не так грубо.

Вторая причина, возникшая по ассоциации с раздвижными дверями, — женские ноги. В фильмах Одзу очень много кадров, где герой открывает дверь, входит в дом и разувается. Женщины проделывают это просто бесподобно. Подходят, сдвигают скользящую вдоль перегородки дверь, делают два меленьких шага к краю помоста, который и есть жилое помещение, не наклоняясь скидывают туфли без шнурков и мгновенным, грациозным движением поворачиваются, чтобы вступить на помост спиной вперед. Чуть пузырится подол; легко и пружинисто сгибаются колени; ступни описывают полукруг, легко увлекая за собою тело, вираж — и цепочка частых шажков, как будто лодыжки стянуты петлей. Обычно путы сковывают шаг, здесь же наоборот: непостижимый дробный ритм сообщает мелькающим женским ногам пленительность произведения искусства.

Когда шагаем мы, европейцы, то, в соответствии с духом своей культуры, стараемся придать движению — непрерывному, иного мы не признаем! — то, в чем полагаем сущность самой жизни: упорную целеустремленность, равномерность и постоянство, иначе говоря, напористость, которой все берется. Наш идеал в этом смысле — бегущий гепард; слаженные, плавные, неотделимые друг от друга взмахи; бег крупного хищника видится нам долгим, единым движением, символом полного жизненного совершенства. Однако, глядя, как японки семенящими шажками дробят естественную ширь и мощь движения, мы почему-то испытываем не боль, которую обычно причиняет вид оскорбленной природы, а невыразимое блаженство, как будто из разрывов выплескивается наслаждение, а из крупиц рождается красота. В этом нарушении устойчивого ритма жизни, в обратном векторе, в притягательной силе отрицания заключен код искусства.

Так простой шаг, отличный от диктуемой природой непрерывности, приобретает в силу этой еретической, но восхитительной дробности чисто художественное значение.

Ибо искусство — это жизнь, но только в измененном ритме.

Глубокая мысль № 10

Грамматика
Есть пласт сознания,
Открывающий красоту.

Обычно по утрам я стараюсь урвать немножко времени, чтобы послушать музыку у себя в комнате. Музыка имеет в моей жизни очень важное значение. Она помогает вытерпеть... ну, в общем, все, что мне приходится терпеть: сестрицу, маму, школу, Ашиля Гран-Ферне и т. д. Музыка не просто удовольствие для слуха, как гастрономия — для чрева или живопись — для глаз. Поставить музыку с утра — совсем не каприз: она задает мне тон на весь день. Это очень просто, но не сразу объяснишь: я думаю, мы можем выбирать себе настроение, потому что в нашем сознании много слоев и есть способ добраться до любого. Например, чтобы записать глубокую мысль, я должна обратиться к особому слою, иначе не найду ни идей, ни слов. Надо отвлечься от себя и в то же время предельно сконцентрироваться. Тут действует не воля, а некий механизм, который либо срабатывает, либо нет. Все равно как почесать нос или сделать кувырок назад. А чтобы запустить этот механизм, нет ничего лучше музыки. Например, чтобы расслабиться, я выбираю что-нибудь такое, что нагоняет отрешенность, как будто меня ничто не касается и я на все смотрю, как в кино, — включается пласт «безучастного» сознания. Обычно для этого подходит джаз или Dire Strait (да здравствует mp3!) — тогда состояние дольше длится, но наступает не сразу.

В то утро перед школой я слушала Гленна Миллера. Должно быть, эффект оказался слишком кратковременным. И в критический момент вся безучастность вдруг исчезла. Это случилось на уроке французского у мадам Тонк — трудно подобрать более неподходящую фамилию для этой толстой, в складках жира туши. Вдобавок она носит все розовое. Я очень люблю розовый цвет и считаю, что его незаслуженно презирают; розовый обычно ассоциируется со всякими слюнявчиками для младенцев или с вульгарной губной помадой, а ведь это очень поэтичный, изящный цвет, он часто упоминается в японских стихах. Но мадам Тонк розовое идет, как свинье колье. Короче, с утра у нас был ее урок. Это уже само по себе мука мученическая. У нее на французском мы проходим правила, делаем бесконечные упражнения или разбираем тексты. Послушать ее — так можно подумать, будто тексты для того и пишутся, чтобы давать по ним характеристику героев, повествователя, выделять особенности сюжета, употребление времен и т. д. Ей небось и в голову не приходит, что в первую очередь их писали для того, чтобы люди их читали и испытывали какие-то чувства. Представьте себе, она никогда, ни единого раза не спросила: «Как вам понравился этот отрывок или эта книга?» А это ведь единственный вопрос, ради которого имеет смысл изучать композицию, стиль и все прочее. Не говоря о том, что школьники нашего возраста, как мне кажется, более восприимчивы к литературе, чем лицеисты и студенты. Что я имею в виду: если моим ровесникам говорят о чем-нибудь увлеченно и затрагивают их чувствительные струны (стремление к любви, к бунтарству, ко всему новому), то до них нетрудно достучаться. Например, историк месье Лерми в два счета покорил весь класс, когда показал нам фотографии людей, которым, по мусульманскому закону, отрубили руку или губы за то, что они воровали или курили. Причем это было совсем не похоже на кровавый ужастик. Всех проняло, и мы внимательно его слушали, а урок был посвящен тому, как опасен не ислам, а человеческий фанатизм вообще. Поэтому, если бы мадам Тонк потрудилась с выражением прочесть нам несколько стихов Расина («Что народится день и снова в вечность канет, //

Но встречи нашей днем он никогда не станет!»[1]), она бы увидела, что средний подросток вполне созрел для трагической пьесы о любви. Зацепить лицеистов уже не так просто: они чувствуют себя почти взрослыми, примериваются к повадкам взрослых, прикидывают, какое им самим достанется место, какую роль придется играть в театре жизни, в них уже нет той непосредственности — уже рукой подать до аквариума.

В общем, когда сегодня утром к обычному школьному занудству прибавился урок литературы без литературы и языка без всякого представления о языке, меня так разобрало, что я не сумела сдержаться. Мадам Тонк вещала о качественных прилагательных в роли определения, в связи с тем, что они начисто отсутствуют в наших сочинениях. «Тогда как эта тема должна быть вам знакома еще со второго класса». «И вообще, таких грамматически неграмотных учеников я еще не встречала!» — прибавила она, выразительно глядя на Ашиля Гран-Ферне. Я не люблю Ашиля, но в данном случае я была на его стороне. Его вопрос был вполне законной реакцией. Не говоря уж о том, что выражение «грамматически неграмотные», особенно в устах учителя словесности, режет слух! Это все равно что сапожник без сапог! Так вот, Ашиль спросил: «А зачем она нужна, грамматика?» — «Вам это должно быть известно», — ответила мадам Тонк, явно подразумевая: «Я получаю деньги за то, чтобы вы это знали». «Да нет, неизвестно, — возразил, нисколько не кривляясь, Ашиль, — нам никогда никто об этом не говорил». Мадам Тонк тяжело вздохнула (дескать, вот еще морока — отвечать на дурацкие вопросы!) и сказала: «Грамматика нужна для того, чтобы уметь писать и говорить».

Я думала, меня кондрашка хватит. В жизни ничего глупее не слыхала! То есть я не говорю, что это неправильно, но это полная чушь! Сказать подросткам, которые дав-

---

[1] Строки из трагедии Расина «Береника» (акт 4, сцена 5). Перевод Н. Рыклиной.

ным-давно свободно говорят и пишут, что им для этого нужна грамматика, это все равно что предложить человеку изучить историю сортиров всех времен и народов, чтобы научиться какать. Абсурд! Ладно бы еще мадам Тонк сказала и показала на примерах, что надо кое-что знать о языке, чтобы не делать ошибок, — с этого вполне можно начать. Или что когда не умеешь спрягать глаголы, то можешь осрамиться в приличном обществе (ляпнешь: «Ложьте себе еще салату!» или «Пошлите к столу!»). Или что правила согласования прилагательного с определяемым существительным могут пригодиться, когда пишешь приглашение на вечеринку в Версальский дворец, а то получится некрасиво: «Дорогая друзья, буду рада видеть Вас сегодня вечером у нас в Версале. Маркиза де Гран-Ферне». Но если она полагает, что грамматика нужна только для этого!.. Можно прекрасно выговаривать и спрягать глагол, не имея понятия, как эта часть речи называется. И наоборот: такое знание не всегда решает проблему.

На мой взгляд, грамматика являет красоту языка. Конечно, оценить красивый слог мы можем и просто так, когда говорим, читаем или пишем. Почувствовать удачный оборот или выразительную фразу. Но, изучая грамматику, мы постигаем другое измерение красоты. Изучать грамматику значит препарировать язык, разбираться, как он устроен, видеть его, так сказать, обнаженным. Вот тогда начинаешь восхищаться: «До чего же все стройно, до чего же здорово!», «Как ловко, прочно, тонко, щедро!». Лично у меня захватывает дух уже от одного того, что слова делятся на разряды, которые имеют определенные признаки; зная их, можно сказать, какое слово к чему относится и как изменяется. Мне кажется, нет ничего прекраснее основополагающего принципа языкознания: вычленения существительных и глаголов. В этой паре содержится ядро любого высказывания. Существительные и глаголы! Великолепно!

Но может, чтобы воспринять всю красоту языка, которую открывает грамматика, тоже нужно задействовать какой-то особый пласт сознания? У меня это получается само собой. По-моему, уже в два года, слушая взрослых, я поняла сразу все устройство языка. Школьные же уроки грамматики только обобщали что-то задним числом и вносили терминологическую ясность. Но можно ли при помощи грамматики научить хорошо говорить и писать тех детей, у которых такого прозрения не произошло? Большой вопрос. На всякий случай хорошо бы всем на свете коллегам мадам Тонк подыскать такую музыку, которая настроила бы их учеников на грамматический лад.

Ну, я возьми да и скажи на весь класс: «Вовсе нет! Не только для этого!» Все так и обомлели: обычно я сижу не открывая рта, а тут вдруг заговорила, да еще взялась спорить с учителем. Мадам Тонк сначала удивленно на меня посмотрела, а потом нахмурилась, как любой педагог, когда почует, что дело плохо и что умные речи о качественных прилагательных в роли определения грозят обернуться изобличением в некомпетентности. «Вы-то что в этом понимаете, мадемуазель Жосс?» — язвительно спросила она. Класс затаил дыхание. Когда первая ученица восстает против преподавателя, особенно такого солидного, это может пошатнуть его авторитет; все поняли: сейчас начнется триллер, он же цирк, и приготовились следить за ходом боя, от всей души желая, чтоб он был кровавым.

«Каждому, кто читал Якобсона, — парировала я, — должно быть ясно, что грамматика имеет не только утилитарную, но и абсолютную ценность, это ключ к структуре языка, его красоте, а не просто полезная для практической жизни штучка». — «Штучка! Штучка! — повторила мадам Тонк, выпучив глаза. — Для мадемуазель Жосс грамматика — это такая штучка!»

Если бы она внимательно слушала, что я говорю, то поняла бы, что как раз для меня-то грамматика не просто штучка. Но с нее, наверное, хватило Якобсона, чтобы с самого начала слететь с катушек, а тут еще все кругом хихикали, включая Канель Мартен; мои одноклассники хоть и не поняли ни слова из того, что я сказала, но почуяли:

жирную училку вот-вот окатят холодной водичкой. На самом деле Якобсона я, понятно, и в руках не держала. Какой бы я там ни была сверходаренной, но предпочитаю комиксы или романы. Просто вчера о нем рассказывала мамина подруга (она преподает в университете) за камамбером и бутылкой красного вина, которым они обе угощались в пять часов дня. А сегодня он вдруг неожиданно пригодился.

Но когда ощерилась вся стая, во мне проснулась жалость. Стало жалко мадам Тонк. Не люблю линчеваний. Они никому не делают чести. Кроме того, мне вовсе не улыбается, чтобы кто-нибудь, зацепившись за мои познания в Якобсоне, стал копать глубже и догадался о моем уровне IQ.

Поэтому я дала задний ход и замолчала. Кончилось тем, что я схлопотала два штрафных часа после уроков, а мадам Тонк спасла свою шкуру. Но, выходя из класса, я почувствовала, что ее колючие маленькие глазки настороженно провожают меня до самой двери.

А по дороге домой подумала: бедные, убогие нищие духом, им не понять завораживающей красоты языка.

5. ОЧЕНЬ ПРИЯТНО

Между тем Мануэла, равнодушная к походке японских женщин, заговорила о другом:

— Мадам Розен ужасно не нравится, что у нового жильца все лампы разные.

Я удивилась:

— В самом деле?

— Ну да, — подтвердила Мануэла. — И немудрено. У самих-то Розенов все в двойном комплекте, они боятся: вдруг чего-нибудь не хватит! Вы слышали любимую историю мадам?

— Нет.

Беседа становилась все любопытнее.

— Ее дед держал в погребе кучу всякого добра и во время войны спас жизнь всей семье: к ним зашел немец, которому были нужны нитки, чтобы пришить оторванную пуговицу, и дед дал ему катушку. А не найдись у него этих ниток — пиф-паф, и конец бы ему и всем домашним. Так вот, хотите — верьте, хотите — нет, у нее в шкафах и в подвале хранятся про запас вторые экземпляры каждой вещи. Можно подумать, ей от этого прибавляется счастья! Или в комнате будет светлее, если в ней стоят две одинаковые лампы!

— Об этом я не подумала, — сказала я. — Действительно, мы часто украшаем интерьер по принципу избыточности.

— Чего-чего? — переспросила Мануэла.

— Ну, повторов, как было у Артансов. Две одинаковые лампы или вазы на камине, одинаковые кресла по обе стороны дивана, парные ночные столики, наборы кухонных мисок.

— Вот вы сказали, и я поняла: это касается не только ламп. У месье Одзу вообще нет ничего одинакового. И знаете, это очень приятно.

— В каком смысле приятно?

Мануэла наморщила лоб и на минуту задумалась:

— Так, как бывает после очень обильного застолья. Когда гости уже разошлись... Мы с мужем идем на кухню, я варю легкий супчик из свежих овощей, бросаю туда же меленько нарезанные шампиньоны, и мы едим вдвоем. Такое чувство, будто отгремела гроза и снова все спокойно.

— И больше ни за чем не гонишься. И радуешься, как тебе хорошо.

— И понимаешь: вот это настоящая еда.

— И ценишь каждую минуту, не похожую ни на какую другую. Смакуешь ее вкус.

— Да, чем меньше чего-то имеешь, тем больше это ценишь.

— Разве можно есть сразу несколько вещей?

— Даже покойный месье Артанс и тот не мог бы.

— Но у меня вон тоже две одинаковые лампы на двух парных столиках, — вдруг вспомнила я.

— И у меня, — сказала Мануэла и покачала головой. — Может, мы все больны, оттого что у нас слишком много всего.

Она поднялась, обняла меня и пошла к Пальерам впрягаться в свою лямку. А я осталась сидеть перед пустой чашкой. Взяла последнюю шоколадку и, чтобы лучше почувствовать вкус, стала грызть ее передними зубами, по-мышиному. Есть что-то не так, как обычно, — все равно что пробовать новое кушанье.

Я еще долго сидела и не без удовольствия обдумывала нашу, такую неожиданную, беседу. Слыханное ли дело, чтобы прислуга с консьержкой, присев отдохнуть и поболтать, рассуждали о культурном смысле оформления интерьера? Однако маленькие люди говорят иной раз удивительные вещи. Да, они предпочитают житейские истории абстрактным теориям, наглядное отвлеченному, картинки идеям. Но это не мешает им иной раз пофилософствовать. Так неужели наша цивилизация настолько пустотела, что нас все время гложет чувство, будто нам чего-то не хватает? И мы не можем радоваться тому, что чувствуем и что имеем, если не уверены, что этого хватит надолго? Японцы же, быть может, знают, что удовольствие как раз в недолговечном и неповторимом, и умеют обустроить свою жизнь, исходя из этого знания?

Увы. Мои раздумья, как всегда, нарушила постылая шарманка, ведь скука — плод однообразия, — в привратницкую позвонили.

6. ВАБИ

Это курьер, жующий, судя по интенсивности и амплитуде движения челюстей, резинку для слонов.

— Мадам Мишель? — спрашивает он.

И сует мне в руки пакет.

— Я должна где-нибудь расписаться? — спрашиваю я.

Но он уже исчез.

Пакет прямоугольный, из оберточной бумаги, перевязанный простым шпагатом, каким затягивают мешки с картошкой, или еще привязывают и волочат по полу пробку, чтобы поиграть с кошкой и заставить ее попрыгать — других упражнений она не признает. Чем-то этот пакет напоминает мне шелковистые обертки Мануэлы: конечно, качество бумаги совсем не то: тут грубая, а там тонкой выделки, но в обоих случаях чувствуется продуманность, обе упаковки роднит некая внутренняя сообразность. Как часто самые высокие идеи проистекают из вещей незатейливых и даже грубых. *Красота — в сообразности*, — вот дивная мысль, которой я обязана жующему жвачку курьеру.

Если как следует вдуматься, эстетика есть не что иное, как приуготовление к Пути Сообразности, подобию Пути Самурая, направленному на поиск тождественных форм. Во всех нас заложен от природы некий эталон. Мы сверяем с ним все, что встречается в жизни, и в редких случаях полного соответствия наслаждаемся первозданной гармонией. Я не имею сейчас в виду ту особенную область прекрасного, которую составляет искусство. Те, кого, как меня, привлекает благородство простых вещей, выискивают его в самом незначительном, там, где оно в обыденном окружении вдвойне поражает сочетанием функциональной простоты и безукоризненного совершенства, когда твердо знаешь: это хорошо и именно так, как должно быть.

Я развязала шпагат и разорвала бумагу. В руках у меня оказалась книга в переплете из темно-синей крупнозернистой кожи — настоящее *ваби*. *Ваби* означает по-японски «скромную красоту, неприхотливую изысканность». Точно сказать, что это такое, я бы не взялась, но переплет, без всякого сомнения, был *ваби*.

Я нацепила очки и прочитала название...

Глубокая мысль № 11

Скажите мне, березы,
Что я ничтожна
И достойна жить.

Вчера за ужином мама торжественно, как о событии, достойном быть отмеченным пенными струями шампанского, объявила, что исполнилось ровно десять лет с тех пор, как она начала свой «АНАЛИЗ». Все аплодируйте и кричите ура! А по мне так психоанализ — единственное, что может сравниться с христианством в любви к нескончаемым страданиям. К тому же мама не говорит, что все эти десять лет она пьет антидепрессанты. Похоже, не видит связи. Я же полагаю, она их глотает не для того, чтобы успокоить нервы, а для того, чтобы выдержать хваленый анализ. Судя по ее рассказам, от каждого сеанса застрелиться можно. Этот ее аналитик только и делает, что через равные промежутки времени мычит и повторяет ее последние слова («И вот я пошла к Ленотру вместе с мамой». — «Хммм, вместе с мамой?» Или: «Я очень люблю шоколад». — «Хммм, шоколад».) В таком случае и я хоть завтра могу податься в психоаналитики. А не то он читает ей лекции про учение Фрейда, причем она считает, что в этой галиматье заложен глубокий смысл. Все жуть как восторгаются умом! Хоть ум не обладает никакой самостоятельной ценностью. Умных везде навалом. Светлых голов на свете не меньше, чем идиотов. Сам по себе ум ничего не значит и ничем не интересен — это давно известно. Находились же умники, которые всю жизнь занимались, к примеру, тем, что выясняли, какого пола ангелы. И однако многие мозговитые люди прямо помешаны на уме, он для них — некая самоцель. Они уверены, что быть умным важнее всего, но это же глупо! А когда ум превращается в самоцель, у него появляются странные завихрения: доказательство своего существования он видит не в силе и простоте мысли, а в том, насколько темно она выражена. Видели бы вы литературу, которую мама приносит со своих «сеансов»! Символизация, аннулирование вытеснения, конструирование реального с помощью матем и синтом. Черт знает что! Даже тексты, которые читает Коломба (она изучает Уильяма Оккама, францисканца XIV века), не такие кошмарные. Отсюда следует, что лучше быть мыслящим монахом, чем постмодернистским мыслителем.

Вообще весь день меня преследовал фрейдизм. Вечером я ела шоколад. Я его ужасно люблю, и это чуть ли не единственное, что у меня общего с мамой и сестрой. Откусила кусок плитки с орехами и почувствовала, что у меня ломается зуб. Подошла к зеркалу и убедилась — откололся еще кусочек резца. Летом на рынке в Кемпере я зацепилась ногой за какую-то веревку и упала, зуб треснул и с тех пор крошится. Мне стало смешно — этот осколок напомнил мне сон, который якобы часто снится маме: как будто зубы у нее чернеют и выпадают по одному. И что же изрек по этому поводу ее аналитик? «Любой последователь Фрейда скажет вам, мадам, что это сон о смерти». Как вам такое? Дело даже не в примитивном толковании (выпадающие зубы = смерть; зонтик = пенис и т. д.), как будто неясно, что культура обладает огромной силой внушения, которая никак не соотносится с действительностью. Возмутителен нарочитый тон («любой последователь Фрейда скажет вам»), подчеркивающий его огромное интеллектуальное превосходство над профанами, тогда как на самом деле он похож на говорящего попугая.

Зато сегодня я передохнула от всего этого: была у Какуро и пила чай с какими-то необычными, очень вкусными кокосовыми пирожными. Он сам зашел пригласить меня и сказал маме: «Мы с вашей дочерью познакомились в лифте, и у нас с ней завязалась интересная беседа». — «Вот как! Вам повезло, — сказала мама, — с нами дочь почти не разговаривает». Какуро спросил, хочу ли я зайти к нему на чашку чая и заодно посмотреть на его кошек. Мама отпустила меня с большой охотой, ей, наверное, уже мерещились сказочные перспективы, которые сулило такое начало. Что-то в духе истории современной гейши в доме богатого японского господина. Ведь месье Одзу, говорят, очень богат, и это одна из причин того, что все перед ним заискивают. В общем, я пошла к нему пить чай и знакомиться с кошками. Ну, что касается кошек, мои взгляды на них от этого знакомства не изменились, хотя у Какуро они, в отличие от наших, хотя бы служат настоящим украшением. Я изложила ему свою точку зрения, но он, оказывается, верит в то, что даже у дуба есть своя красота и свои чувства, а у кошки уж тем более. Еще мы поговорили о сущности ума, и он спросил разрешения записать в свою книжечку мое определение: «Ум не священный дар, а единственное оружие приматов».

А потом снова стали обсуждать мадам Мишель. По мнению Какуро, ее кота зовут Львом в честь Льва Толстого, и мы оба сошлись на том, что консьержка, которая читает Толстого и книги издательства «Врен», — явление незаурядное. У Какуро есть определенные основания думать, что она любит «Анну Каренину», и он решил прислать ей этот роман в подарок: «Посмотрим на ее реакцию!»

Но моя сегодняшняя глубокая мысль не об этом. Меня навел на нее Какуро. Речь зашла о русской литературе, которую я совсем не знаю. Какуро объяснял, за что он любит романы Толстого: с одной стороны, они «универсальны», а с другой, все происходит в России, в стране, где на каждом шагу растут березы и где аристократам, когда началась война с Наполеоном, пришлось заново учить русский язык, потому что раньше они разговаривали только по-французски. В общем-то, обычные взрослые рассуждения, но у Какуро все получается как-то особенно вежливо. Что бы он ни высказывал, его всегда очень приятно слушать, поскольку он обращается именно к тебе, говорит именно с тобой. Первый раз встречаю человека, которому во время беседы важна я сама, он не думает о том, какое производит на меня впечатление, и во взгляде его читается: «Кто ты? Ты хочешь со мной говорить? Как приятно с тобой общаться!» Вот это я и называю вежливостью: когда с тобой считаются и ты это чувствуешь. Честно говоря, Россия и русские с их великой литературой меня как-то мало волнуют. Они говорили по-французски? Ну и что? Я тоже, и к тому же я не угнетаю мужиков. Но березы, я не сразу поняла почему, задели меня за живое. Какуро рассказывал о русской природе, о том, как качаются и шелестят березы, и я вдруг ощутила удивительную легкость...

Потом-то я сообразила, откуда взялся восторг, захвативший меня, когда Какуро упомянул русские березы. То же самое со мной творится каждый раз, когда говорят о деревьях, не важно каких: о липе перед деревенским домом, о дубе за старым амбаром, о раскидистых вязах, которых больше нет, о соснах вдоль дороги, которые сгибает ветер с моря, и т. д. Любовь к деревьям так свойственна человеку, в ней столько тоски по детским радостям, она придает нам столько мужества, заставляя осознать свою малость по сравнению с природой... да-да, мысли о деревьях, об их величественной безучастности и о нашей к ним приязни напоминают нам о том, что мы ничтожные, жалкие паразиты, кишащие на поверхности земли, и делают достойными жизни, ибо мы способны преклоняться перед изначальной красотой.

Какуро говорил о деревьях, а я, забыв о психоаналитиках и об умниках, не знающих, чем бы занять свой ум, вдруг почувствовала, что расту как личность, когда проникаюсь этой великой красотой.

Летний дождь

1. В ПОДПОЛЬЕ

Итак, я нацепила очки и прочитала заголовок:

Лев Толстой. «Анна Каренина».

Приложена карточка:

> *Мадам!*
> **Позвольте преподнести Вам эту книгу, памятуя о Вашем коте.**
> *Искренне Ваш*
>
> *Какуро Одзу.*

Всегда приятно убедиться, что ты не параноик. Мои подозрения оправдались. Я разоблачена. Дикий страх охватил меня.

Я машинально встала, снова села. Перечитала карточку.

Внутри у меня произошла — как бы это сказать поточнее — перестановка: возникло странное чувство, будто один стержень заменили другим. У вас такого не бывало? Когда внутри что-то резко меняется, что именно — не передашь словами, и состояние, и обстановка, как при переезде в другое жилище.

...памятуя о Вашем коте.

И вдруг, не веря собственным ушам, я услышала смешок, сорвавшийся с моих же губ.

Конечно, все это тревожно, но до чего забавно!

Повинуясь опасному порыву — для того, кто ведет подпольный образ жизни, все порывы опасны, — я взяла листок бумаги, конверт и шариковую ручку (оранжевую) и написала:

Благодарю, не стоило.
Консьержка

Осторожно, как индеец на тропе войны, я вышла в вестибюль — никого — и сунула письмо в почтовый ящик месье Одзу.

Потом поспешно, пока никто не появился, вернулась к себе и без сил, но с чувством выполненного долга рухнула в кресло.

И тут на меня нахлынуло.

Нахлынуло сама не знаю что.

Дурацкий порыв не только не прогнал страх, а усилил его стократно. Все сделано неправильно. Теперь вот мучайся и жди, что будет.

Достаточно было написать: «Не поняла. Консьержка».

Или так: «Это какая-то ошибка. Возвращаю Вам пакет».

Или еще короче: «Не по адресу».

Хитро и исчерпывающе: «Я не умею читать».

С подковыркой: «Мой кот не умеет читать».

Тонко: «Благодарю, но подарки делают на Новый год».

Или строго формально: «Подтвердите, пожалуйста, возврат».

Я же вместо этого промурлыкала, как в светском салоне: «Благодарю, не стоило».

Я вскочила и рванулась к двери.

Но поздно, поздно!

Мимо окна к лифту прошел Поль Н'Гиен — он вынул почту и держал все в руках.

Я пропала.

Остается одно: затаиться.

Что бы ни случилось, меня нет, я ничего не знаю, ни на что не отвечаю, никому не пишу, сижу мышкой.

Прошло три дня настороженного ожидания. Я стала уговаривать себя, что того, о чем я решила не думать, на самом деле и нет, но думаю об этом постоянно и как-то раз даже забыла покормить Льва, который вертится под ногами живым хвостатым упреком.

А сегодня в десять часов раздался звонок.

2. ТОРЖЕСТВО ЗДРАВОГО СМЫСЛА

Открываю дверь.

Передо мной стоит месье Одзу.

— Мадам, — говорит он, — я очень рад, что мой подарок вас не рассердил.

Я так растерялась, что ничего не поняла и забормотала:

— Ну да, ну да.

А сама чувствую: пот с меня так и льется. Продолжаю говорить с трагическими паузами:

— То есть нет-нет. Конечно, большое спасибо.

Он мило улыбается:

— Мадам Мишель, я пришел не затем, чтоб вы меня благодарили.

— Не затем? — продолжаю я, соперничая в искусстве изъясняться «замирающими на губах словами» с Федрой, Береникой и несчастной Дидоной.

— Я пришел пригласить вас поужинать со мной завтра вечером. Мы могли бы поговорить о том, что нам обоим по душе.

— Э-э... — промычала я. Ответ — короче некуда.

— Поужинаем попросту, по-соседски.

— По-соседски? Но я же консьержка! — выговариваю хоть что-то связное, хотя в голове полный сумбур.

— Одно другому не мешает, — отвечает он.

Матерь Божия, Пресвятая Богородица, что делать?

Есть, конечно, легкие пути, хоть я их не люблю. У меня нет детей, я не смотрю телевизор и не верю в Бога, значит, мне заказаны те дорожки, на которые люди охотно сворачивают для облегчения жизни. Дети помогают отсрочить тягостное время, когда приходится остаться один на один с самим собой, а внуки еще больше оттягивают этот срок. Телевидение отвлекает от изнурительной необходимости строить какие-то планы на зыбкой основе нашего ничтожного опыта; оно морочит нас яркими картинками и тем самым позволяет увильнуть от мыслительной работы. Ну а Бог усыпляет животный страх перед неотвратимостью того, что когда-нибудь всем нашим удовольствиям придет конец. Поэтому, не имея ни будущего, ни потомства и ни пикселя болеутоляющего, чтобы притупить сознание вселенского абсурда, твердо зная, что впереди конец и пустота, я имею полное право сказать, что легких путей не ищу.

Но тут вдруг почувствовала искушение.

Проще всего было бы сказать: «Спасибо, но завтра вечером я занята».

Есть и другие вполне вежливые варианты отказа:

«Очень любезно с вашей стороны, но мое время расписано, как у министра» (не очень правдоподобно).

«Очень жаль, но завтра я уезжаю на горнолыжный курорт» (фантастика чистой воды).

«Увы, не позволяют семейные обстоятельства» (ничего подобного).

«У меня заболел кот, и я не могу оставить его одного» (сентиментально).

«Я больна, и мне лучше никуда не ходить» (наглая ложь).

В конце концов я уже готова произнести: «Спасибо, но я жду гостей», как вдруг — причиной тому спокойный, приветливый вид стоящего передо мной месье Одзу — время разверзается, и я проваливаюсь в эту дыру.

3. ВНЕ ВРЕМЕНИ

Белые снежинки опускаются на дно прозрачной сферы.

Это возник в памяти маленький стеклянный шар, который стоял на столе у Мадемуазель, она учила нас в младших классах, пока мы не перешли к месье Сервану. За особые заслуги нам разрешалось взять шар, встряхнуть и держать в ладони, пока последние хлопья не упадут к подножью блестящей Эйфелевой башни. Мне не было еще семи, но я уже чувствовала: это плавное кружение меленьких пушистых хлопьев точно передает то, что происходит в душе в минуты восторга. Время замедляется, растекается, хлопья, не сталкиваясь, застывают в полете, и, когда все они оседают, мы понимаем, что пережили выпадение из времени, сопутствующее ярким озарениям. Будут ли в моей жизни, думала я уже тогда, подобные минуты, доведется ли мне замирать под ливнем медленно и величаво танцующих снежинок, вырвавшись наконец из однообразной суматошной спешки.

Может быть, это чувство наготы? Когда с тела сброшены все одежки, а ум еще отягощают какие-то громоздкие украшения. Приглашение месье

Одзу вызвало во мне это ощущение наготы, безоружной наготы одиночества, белые хлопья закружились вокруг меня, и сладко обожгло душу.

Я долго глядела на него.
И бросилась в черный, глубокий, ледяной и манящий омут вне времени.

4. ПАУТИНА

— За что, за что мне такое, скажите, бога ради! — взвывала я к Мануэле вечером того же дня.

— Как за что? — сказала Мануэла. — Это же очень хорошо.

— Да вы смеетесь! — простонала я.

— Давайте-ка лучше перейдем к делу. Вам нельзя идти в таком виде. Прическа никуда не годится. — Мануэла окинула меня взглядом эксперта.

Если б вы знали, что такое хорошая прическа в представлении Мануэлы! Хоть душой она аристократка, но шевелюрой плебейка. Волосы надо накрутить, начесать, распушить, побрызгать чем-то липким, как паутина, — прическа сооружается так и никак иначе.

— Я схожу в парикмахерскую, — пообещала я, не вступая в дискуссию.

Мануэла посмотрела на меня подозрительно и спросила:

— А что вы наденете?

Кроме повседневных платьев, точно таких, как положено носить консьержке, у меня есть только насквозь пронафталиненное, похожее на взбитые сливки свадебное платье да мрачный черный балахон, который я напяливаю в тех редких случаях, когда меня зовут на похороны.

— Ну, надену черное платье.

— Траурное? — ужаснулась Мануэла.

— Другого у меня нет.

— Значит, надо купить.

— Это же просто ужин.

— Конечно! — В Мануэле проснулась ревностная дуэнья. — Но вы идете ужинать в гостях. Разве по такому случаю не надо одеться понаряднее?

5. РЮШЕЧКИ И КРУЖАВЧИКИ

Первое затруднение: где купить платье? Обычно всю одежду, включая носки, трусы и теплые трико, я выписываю по каталогам на дом. Одна мысль о том, чтобы примерять под взглядом какой-нибудь анорексичной девицы наряды, которые на мне будут висеть мешком, всегда гнала меня от дверей магазинов. К несчастью, времени так мало, что доставить заказ мне не успеют.

Но: имей одну-единственную подругу, только умей правильно ее выбрать.

На другое утро Мануэла влетела в привратницкую.

В руках у нее одежный чехол, который она протянула мне с победной улыбкой.

Мануэла на добрых пятнадцать сантиметров выше и на десять килограммов легче, чем я. Единственная женщина в ее семействе примерно одного со мной сложения — это ее свекровь, суровая Амалия, которая почему-то обожает всякие рюшечки и кружавчики, хотя всякое легкомыслие чуждо ее натуре. А португальские оборки тяготеют к стилю рококо: ни фантазии, ни воздушности, лишь бы накрутить всего побольше, так что платья напоминают гипюровые комбинашки, а самая простая блузка разукрашена многоярусными фестончиками.

Теперь вы понимаете, почему мне стало не по себе. Чего доброго, этот ужин, о котором я думаю как о наказании Господнем, еще и обернется водевилем.

— Вы будете похожи на кинозвезду, — заметила Мануэла, но, сжалившись надо мной, добавила: — Да я шучу!

И вытащила из чехла бежевое платье без всяких излишеств.

— Откуда вы это взяли? — спросила я, разглядывая его.

По виду размер подходящий. Платье, опять-таки судя по виду, дорогое, простого покроя, из тонкой плотной шерсти, с отложным воротником, спереди на пуговицах. Очень строгое и элегантное. Такие носит мадам де Брольи.

— Я сходила вчера к Марии, — объяснила Мануэла, так и сияя от радости.

Мария — это портниха-португалка, она живет по соседству с моей спасительницей. И они не просто соотечественницы, а вместе выросли в Фаро, вышли замуж за двоих из семи братьев Лопес, обе поехали с мужьями во Францию и исхитрились там родить детей почти одновременно, с разницей в пару недель. У них даже кошка общая и общая любовь к изысканным сладостям.

— Вы хотите сказать, что это чужое платье?

— Ну да, — ответила Мануэла, слегка скривившись. — Но его никто не потребует. Заказчица на той неделе скончалась. А пока ее родственники сообразят, что готовое платье ждет у портнихи... вы успеете десять раз поужинать с месье Одзу.

— Это платье покойницы? — спросила я с ужасом. — Но я не могу его надеть!

190

— Почему это? — спросила Мануэла, удивленно подняв брови. — Так даже лучше, чем если бы она была жива. Представьте себе, что вы поставили пятно. Пришлось бы сдавать в чистку, искать оправдания, целая морока.

В прагматизме Мануэлы есть что-то космическое. Может быть, если бы я его усвоила, это придало бы мне уверенности, что смерть — сущие пустяки.

— Я не могу из моральных соображений, мне это претит.

— Из моральных? — Мануэла выговорила это слово чуть ли не с отвращением. — При чем тут мораль? Вы что, крадете? Или делаете что-то плохое?

— Это чужая вещь. Я не могу ее присвоить.

— Но та женщина умерла! И взять платье на один вечер не значит украсть.

Когда Мануэла берется толковать семантические тонкости, с ней не поспоришь.

— Мария говорит, что она была очень добрая. Отдала ей несколько своих платьев и отличное пальто из *альпапа*. Сама располнела, они на нее уже не лезли, вот она и сказала Марии: может, вам пригодятся? Видите, какая хорошая женщина.

Альпапа — это, видимо, гибрид ламы-альпака с папайей.

— Ну не знаю... — сказала я уже не так категорично. — Все-таки мне кажется, как будто я обкрадываю покойницу.

Мануэла посмотрела на меня испепеляющим взглядом:

— Вы не крадете, а берете на время. И вообще, на что ей, бедняжке, теперь нужно платье?

Вот уж что правда, то правда.

Мануэла вдруг перескочила на другую тему.

— Мне пора идти разговаривать с мадам Пальер, — с восторгом в голосе сказала она.

— Я буду мысленно с вами, порадуемся вместе.

— Ну, я пошла. — Мануэла встала и направилась к двери. — А вы пока примерьте платье и сходите в парикмахерскую. Как все закончу, зайду на вас посмотреть.

С минуту я нерешительно разглядываю платье. Помимо того что мне неприятно надевать вещь, принадлежащую покойной, я еще и опасаюсь, что оно будет смотреться на мне совершенно дико. Виолетте Грелье к лицу тряпка, Пьеру Артансу — шелк, а мне — бесформенный передник с лиловым или темно-синим узором.

Лучше примерю, когда вернусь.

И только тут я сообразила, что даже не поблагодарила Мануэлу.

Дневник всемирного движения
Запись № 4

Хор — это прекрасно.

Вчера после обеда был концерт школьного хора. Да, в нашей школе, где учатся дети из богатых кварталов, есть хор, и никто от него не воротит нос, наоборот, все дерутся за то, чтобы туда попасть, но там строгий отбор — месье Трианон, учитель музыки, берет только самых лучших певцов. Причина такого успеха в самом месье Трианоне. Он молодой, красивый и разучивает с хором то известные джазовые вещи, то классно аранжированные модные штучки с YouTube. Время от времени хористы в концертных костюмах выступают перед учениками. Из родителей приглашают только тех, чьи дети поют, иначе будет слишком много народа. И так уже физкультурный зал набит битком и гудит как улей.

Вот и вчера мадам Тонк — по расписанию первым уроком после обеда французский — повела нас потихонечку в физкультурный зал. «Повела» — это сильно сказано, она еле поспевала за нами и пыхтела, как старый морж. Ну, мы все же добрались и кое-как расселись. У меня уши вяли от дурацкой болтовни, которая неслась справа, слева, спереди, сзади и сверху в стереофоническом режиме (мобильники, мода, мобильники, кто с кем, мобильники, дуры-училки, мобильники, вечеринка у Канель), но вот наконец, под аплодисменты зрителей, вышел хор, одетый в красное и белое, мальчики в костюмах с галстуком-бабочкой, девочки в длинных платьях на бретелях. Месье Трианон влез на табурет спиной к залу, поднял палочку с мигающим красным огоньком на конце, все замолчали, и концерт начался.

Это всегда чудо. Как только хор начинает петь, разом исчезает всё: люди вокруг, заботы и неурядицы, приязнь и неприязнь; школьная жизнь с ее занудством, с ее делами и делишками, с пестрой толпой учителей и учеников; и в целом все существование, которое мы влачим и которое состоит из смеха, слез и воплей, из борьбы, разлуки, из обманутых надежд и неожиданного счастья. Пение заглушает все житейское, тебя вдруг охватывает чувство всеобщего братства, прочного единения, даже любви, и мерзкая обыденность растворяется в этой полной гармонии. У хористов даже меняются лица: я не узнаю ни Ашиля Гран-Ферне (у него красивый тенор), ни Дебору Лемер, ни Сеголену Раше, ни Шарля Сен-Совера. Вижу только поющих, целиком отдающихся пению людей.

И каждый раз мне хочется плакать, у меня сжимается горло, я креплюсь, как могу, но, кажется, все равно вот-вот разрыдаюсь. Поэтому, когда звучит канон, я опускаю глаза, слишком уж силен наплыв эмоций: такая красота, такая стройность и совершенная слиянность. Я перестаю быть собой, становлюсь частицей высокого целого, к которому принадлежат также все остальные, и с тоской думаю, почему такое происходит только в редкие минуты, когда поет хор, а не ежедневно.

Когда хор замолкает, все аплодируют с просветленными лицами, сияют и сами певцы. Это прекрасно!

Так, может быть, пение и есть самое главное всемирное движение?

6. ОСВЕЖИЛАСЬ

Вы не поверите, но я ни разу в жизни не ходила в парикмахерскую. Перебравшись из деревни в город, я узнала, что на свете существуют две совершенно, на мой взгляд, лишние профессии — ведь услуги, которые предлагают эти специалисты, каждый в состоянии оказать себе сам. Честно говоря, мне и до сих пор кажется, что цветочницы и парикмахеры зря едят свой хлеб: одни наживаются на природной красоте, которая принадлежит всем, а другие придумывают невесть какие выкрутасы и напускают целые облака парфюмерии ради того, с чем я отлично справляюсь сама, в собственной ванной, вооружившись парой острых ножниц.

— Кто это вас так обкорнал? — спросила парикмахерша, которой я, сделав над собой колоссальное усилие, доверила приведение моей буйной шевелюры в цивилизованный вид. Она возмущенно потрясла зажатыми в правой и левой руке симметричными прядями волос неровной длины и с отвращением прибавила, избавляя меня от позорной роли доносчицы на самое себя: — Ладно, можете не говорить. Людям теперь на все наплевать, уж я-то насмотрелась.

— Мне просто освежить, — сказала я.

Что это значит, я представляю себе довольно смутно, но именно так говорят в дневных телесериалах молоденькие, ярко накрашенные девицы, которых чаще всего снимают в парикмахерской или в гимнастическом зале.

— Освежить? Да тут нечего освежать, мадам! Все надо переделывать! — Парикмахерша критически обозревает мою голову и тихонько присвистывает. — Волосы у вас хорошие, это уже кое-что. Попробуем что-нибудь придумать.

Вскоре оказывается, что моя мастерица — довольно милая особа. Когда ее вполне законный, вызванный покушением на ее опять-таки законные права гнев прошел, она охотно вернулась к роли, отведенной ей неписаным социальным кодексом, который так облегчает жизнь, и стала приветливо, обходительно заниматься клиенткой.

Что можно сделать с копной густых волос, кроме как подрезать со всех сторон, когда она уж слишком разрастается? Таков был мой твердый принцип в отношении прически. Теперь же у меня иные взгляды на этот предмет: из волосяной массы можно ваять, придавая ей форму.

— У вас и правда прекрасные волосы, — заключила парикмахерша, обозревая плод своих трудов, — густые и шелковистые. Не давайте стричь их кому попало.

Неужели прическа может настолько изменить человека? Смотрю и не узнаю себя в зеркале. Вместо черного горшка над довольно, я ведь говорила, непривлекательной физиономией — пушистое облачко, вихрящееся над не таким уж отталкивающим лицом. Вполне... пристойная внешность. Смахивает на римскую матрону.

— Невероятно... — шепчу я и думаю, как бы скрыть это сногсшибательное зрелище от глаз наших жильцов.

Потрачено столько лет, чтобы стать невидимкой, и вдруг все пойдет прахом из-за какой-то римской стрижки? Это недопустимо!

Домой я шла вжимаясь в стены. И, по редкостному счастью, никого не встретила. Вот только Лев посмотрел на меня как-то странно. А когда я нагнулась к нему, прижал уши — знак гнева или растерянности.

— Что, не нравится тебе? — спросила я и только потом заметила, что он судорожно принюхивается.

Шампунь. От меня несет миндалем с авокадо.

Я повязала голову косынкой и рьяно взялась за дела одно другого увлекательнее, вроде тщательного надраивания латунных кнопок вызова лифта.

И вот уже без десяти час.

Через десять минут появится Мануэла проверить, что получилось.

Времени на раздумье не остается. Я едва успеваю сдернуть косынку, снять с себя всю одежду и надеть бежевое шерстяное платье, сшитое для покойницы, как раздается стук в дверь.

7. В ПУХ И ПРАХ...

— Вау! — охнула Мануэла. — Обалдеть!

Никогда в жизни я не слышала от Мануэлы ни одного вульгарного выражения, такое восклицание и такое словечко в ее устах... это все равно, как если бы папа римский, забывшись, сказанул своим кардиналам: «Куда, к черту, подевалась эта проклятая тиара?»

— Не издевайтесь надо мной! — сказала я.

— Да я и не думаю издеваться, Рене! Вы просто великолепны! — От восторга она так и плюхнулась на стул. — Настоящая дама!

Вот-вот — это меня и смущало.

— Я буду выглядеть смешно, если явлюсь на ужин расфуфыренной в пух и прах, — сказала я и принялась заваривать чай.

— Ничего подобного, это нормально — вы идете в гости и одеваетесь как следует. Все так делают.

— Да, но вот это... — Я поднесла руку к прическе и снова содрогнулась, нащупав жесткую пену.

— Вы просто что-то надели на голову, и сзади чуточку примялось, — сказала Мануэла. С величайшей осторожностью она вытащила из сумки пакетик из красной шелковистой бумаги и пояснила: — Воздушные пирожные.

Правильно, поговорим о другом.

— Ну, как у вас все прошло? — спросила я.

— Это надо было видеть, — вздохнула Мануэла. — Я думала, ее хватит удар. «Мадам Пальер, — говорю я ей, — к сожалению, я больше не смогу к вам приходить». А она глядит и не понимает. Мне пришлось еще два раза повторить! И тут она села и забормотала: «Что же я буду делать?» — Мануэла задохнулась от гнева. — Ну хоть бы сказала: «Что я буду делать *без вас*?» Счастье ее, что мне надо пристроить Рози, а то б я ей ответила: «Можете делать, что вам будет угодно, мадам Пальер, и шли бы вы...»

Опять «проклятая тиара»!

Рози — одна из многочисленных племянниц Мануэлы, и я понимаю, что она имеет в виду. Сама она подумывает вернуться на родину, в Португалию, но надо, чтобы такое хорошее место, как дом семь по улице Гренель, осталось в семье. Вот она, в предвидении великого дня, и готовит вместо себя Рози.

Господи боже, а я-то что буду делать без Мануэлы?

— А я что буду делать без вас? — говорю я ей с улыбкой, и у нас обеих выступают слезы на глазах.

— Знаете, что я думаю? — говорит Мануэла, утираясь большим красным, как мулета тореадора, платком. — То, что я ушла от мадам Пальер, — хороший знак. Будут и другие перемены к лучшему.

— Она не спросила, почему вы уходите?

— То-то и оно что нет! Не решилась. Хорошее воспитание иногда только мешает.

— Все равно же она скоро узнает.

— Ну конечно! — Мануэла прыснула. — Но вот посмотрите, не пройдет и месяца, как она мне скажет: «Ваша Рози — просто сокровище, Мануэла! Как хорошо, что вы прислали ее вместо себя!» Ох уж эти богачи... Чтоб им всем!

«Ох уж эта проклятая тиара!»

— Что бы ни случилось, а мы всегда останемся друзьями, — сказала я.

Мы улыбнулись друг другу.

— Да, — кивнула Мануэла. — Что бы ни случилось.

Глубокая мысль № 12

На этот раз — о путях судьбы,
Что для кого-то
Предопределены заранее,
А для кого-то нет.

Я в затруднении: ведь если я подожгу дом, то может пострадать и квартира Какуро. А доставлять неприятности единственному достойному уважения взрослому, который мне встретился за всю жизнь, как-то нехорошо. Но я ведь так давно лелеяла идею этого поджога. Сегодня — день удивительного знакомства. Сначала я ходила к Какуро пить чай. Там еще был его секретарь Поль. Какуро встретил в вестибюле нас троих — маму и нас с Маргаритой — и пригласил зайти. Маргарита — моя лучшая подруга. Она пришла в наш класс два года назад и сразу меня поразила. Не знаю, имеете ли вы представление о том, что такое современный коллеж в богатом квартале Парижа, но, скажу я вам, он ничуть не лучше какой-нибудь школы в северных предместьях Марселя. А может, даже хуже, потому что где есть деньги, есть и наркотики, причем самые разные и в большом количестве. Мне всегда смешно, когда мамины друзья из поколения шестьдесят восьмого года начинают бурно вспоминать о всякой самопальной «дури». У нас в коллеже (между прочим, государственном, а как же — раз мой отец был министром Французской республики) можно купить что угодно: кислоту, экстези, кокаин и т. д. Давно прошли те времена, когда подростки нюхали клей в туалетах. Мои одноклассники глотают экстези, как конфетки, а главное: где наркотики, там и секс. Не удивляйтесь — теперь это начинается очень рано. Некоторые (таких, конечно, не очень много, но все-таки) уже в седьмом классе живут половой жизнью. Это ужасно.

Во-первых, потому что, по-моему, секс, как и любовь, — это что-то святое. Хоть я не ханжа де Брольи, но если бы я успела повзрослеть, то хотела бы обставить свой первый опыт торжественно и красиво. Во-вторых, потому что, сколько бы подросток ни строил из себя взрослого, он все равно остается ребенком. И оттого, что обкуришься и с кем-нибудь переспишь на вечеринке, в юридически полноправное лицо не превратишься, как не превратишься в индейца оттого, что им нарядишься. А в-третьих, довольно дико полагать, будто можно стать взрослым, копируя самое страшное, что есть во взрослой жизни. Уж я-то насмотрелась, как мама глушит себя снотворными и антидепрессантами, — этого хватит, чтоб навсегда отбить охоту к таким вещам. Получается так: воображая, что становятся взрослыми, дети подражают как раз тем взрослым, которые не выросли из детства и прячутся от жизни. Глупо! Ну правда, будь я Канель Мартен — это девчонка номер один в нашем классе, — я бы, наверное, тоже не знала, чем заняться, кроме наркотиков. У нее на лбу написано все, что с ней случится дальше. Лет через пятнадцать богатый муж, за которого она выскочит только потому, что он богатый, будет изменять ей и искать у других женщин то, чего собственная супруга, прекрасная, холодная и пустая, не может ему дать, например человеческого тепла и пылкости в любви. И тогда она перенесет нерастраченную энергию на свои виллы и детей, из которых, словно бессознательно отыгрываясь, сделает собственных клонов. Дочерей, разодетых и раскрашенных, как дорогие куртизанки, продаст первым попавшимся банкирам, а сыновей нацелит на то, чтобы они, как отец, делали карьеру и изменяли своим женам с кем попало. Думаете, я выдумываю? Нет, глядя на светлые кудряшки, большие голубые глаза, клетчатые мини-юбочки, маечки в обтяжку и безупречной формы пупок Канель Мартен, я вижу ее будущее так ясно, как будто оно уже в прошлом. Пока же все наши мальчишки увиваются за ней, потому что видят в ней идеал гламурной женщины, а она принимает этот голод созревающих самцов за преклонение перед своей красотой. Так вот, Маргарита — совсем другая, я поняла это с первого взгляда. Она африканского происхождения, а таким претенциозным именем ее назвали не потому, что она живет в богатом квартале, а в честь цветка. Мать у нее француженка, отец из Нигерии. Он работает в МИДе, но ничуть не похож ни на кого из наших знакомых-дипломатов. Совсем простой. Явно любит свое дело. И в нем нет ни капли цинизма. Дочь же чудо как хороша: волосы, цвет кожи, улыбка — прелесть! И эта улыбка не сходит с лица. Когда в первый день Ашиль Гран-Ферне (первый шут в классе) пропел ей: «Смугла и весела, Красотка, ла-ла-ла, в чем мама родила!» — она улыбнулась еще шире и мгновенно ответила: «Рожа отвратна — мама, роди меня обратно!» Вот это мне в ней особенно нравится: нельзя сказать, чтобы она отличалась уж очень развитым логическим мышлением, ум у нее, может, не такой глубокий, зато острый как бритва. Это особый талант. Моя одаренность проявляется в мощном интеллекте, а ее — в потрясающей быстроте реакции. Я бы много дала, чтобы быть такой, как Маргарита, а то обычно я нахожу подходящий ответ минут на пять позднее, чем нужно, и уже в уме разыгрываю несостоявшийся диалог. Когда Маргарита первый раз пришла к нам в дом и Коломба сказала ей: «Красивое имя Маргарита, но старомодное», она тут же ее отбрила: «Зато хотя бы не птичье»[1]. У Коломбы прямо челюсть отвалилась — это было великолепно! Находчивость Маргариты так ошарашила ее, что она небось еще долго не могла оклематься, в конце концов себе в утешение приписала все случаю, но неприятный осадок все равно остался. А в другой раз, когда Жасента Розен, мамина подружка, спросила: «Такие волосы, наверное, страшно трудно расчесывать?» (у Маргариты настоящая львиная грива) — она выпалила: «Моя не понимай, что говори белый госпожа».

---

[1] По-французски «colombe» — «голубка».

Больше всего мы с Маргаритой любим говорить о любви. Что это такое? Когда мы полюбим? Кого? Как? Почему? Причем наши взгляды расходятся. Как ни странно, у Маргариты рациональный подход к любви, а я неисправимый романтик. Она думает, что все определяет сознательный выбор (что-то вроде сайта www.ourtastes.com), я же уверена, что главное — восхитительный порыв. Но в одном мы согласны: любовь должна быть не средством, а целью.

Другое наше любимое занятие — это прогнозировать, кому что суждено. Например, будущее Канель Мартен: муж-изменщик уйдет к другой, дочь выйдет за финансиста, сын, с материнского благословения, тоже будет изменять жене, а сама Канель закончит свои дни в Шату, в роскошном доме престарелых, где месяц стоит восемь тысяч евро. Или Ашиль Гран-Ферне: этот сядет на героин, в двадцать лет попадет в наркоклинику, потом станет преемником отца, фабриканта пластиковых пакетов, женится на крашеной блондинке, произведет на свет сына-шизофреника и дочь-анорексичку, сопьется и в сорок пять лет умрет от рака печени. И т. д. Хуже всего, скажу я вам, не то, что мы в это играем, а то, что это вовсе не игра.

В общем, мы встретились внизу с Какуро, и он сказал: «Не зайдете ли вы ко мне сегодня вечером — у меня будет внучатая племянница?» Только он успел договорить, как мама, почуяв шанс наконец проникнуть в нижнюю квартиру, выпалила: «Да-да, конечно!» Ну, мы и пошли. Внучатую племянницу Какуро зовут Йоко, ее мать Элиза — дочка его сестры Марико. Йоко пять лет. И это самая хорошенькая девочка на свете. Да еще и ужасно милая. Лепечет, щебечет, улыбается, а смотрит так же открыто и приветливо, как ее дядя. Мы стали играть в прятки, и, когда Маргарита нашла Йоко в кухонном шкафчике, та от смеха обмочила колготки. Потом ели шоколадный торт, мы разговаривали с Какуро, а Йоко, широко раскрыв глазенки, слушала (вымазанная шоколадом чуть не до ушей).

Глядя на нее, я подумала: «Неужели и она станет такой же, как все?» И попробовала представить себе Йоко

204

через десять лет безразличной девицей в высоких сапогах, с сигаретой во рту, и еще через десять — этакой образцовой японской женой и матерью, которая поджидает детей и супруга в вылизанной до полного блеска квартире. Но у меня ничего не получилось.

Какое счастье! Первый раз вижу кого-то, чье будущее не могу предсказать, перед кем открыты все дороги судьбы, в ком заложен непочатый край самых разных возможностей. «Хотелось бы мне увидеть, какой вырастет Йоко», — подумала я. Мне действительно было интересно, и вовсе не потому, что она такая маленькая, — у папиных и маминых знакомых полно детишек, но никто из них не вызывал у меня такого чувства.

А еще я подумала, что Какуро в детстве, наверное, был таким же и, может, кто-то тогда смотрел на него, как я на Йоко, с удовольствием и любопытством, гадал, что за бабочка вылупится из этой куколки, не зная, но предвкушая чудный узор на ее крылышках.

И тогда мне в голову пришел вопрос: «Почему? Почему с ними так, а со всеми другими иначе?»

А как со мной? Написана ли на мне моя судьба? Думаю, да, потому-то я и хочу умереть.

Хотя... раз в этом мире кому-то удается со временем стать чем-то другим, не тем, что ты есть сегодня... как знать, может, это удастся и мне, и я сумею вырастить в саду своей жизни плоды, не похожие на те, что созрели в саду моих родителей?

8. О НЕБО!

В семь часов, не чуя под собой ног и истово молясь, чтоб никого не встретить, я отправляюсь на пятый этаж.

Внизу никого.

На лестнице тоже.

На площадке перед дверью месье Одзу тоже пусто.

Но мне от этого почему-то не становится спокойнее, наоборот, в сердце закрадывается мрачное предчувствие, и страшно хочется удрать. Моя жалкая каморка вдруг представляется мне отрадным и уютным гнездышком, я со щемящей тоской вспоминаю Льва, лежащего, развалясь, перед телевизором, который сейчас не кажется мне такой уж гадостью. В конце концов, никто мне не мешает повернуться, спуститься вниз и сидеть дома. Нет ничего проще, ничего естественнее — не то что этот несуразный ужин.

Мои раздумья прервал какой-то шум этажом выше, прямо у меня над головой. Меня мгновенно прошиб пот — очень кстати! — и бессознательным движением я судорожно нажала на звонок.

Дверь тут же открылась, так что у меня даже не успело сильнее забиться сердце.

На пороге стоял сияющий месье Одзу.

— Добрый вечер, мадам! — проговорил он, и в голосе его звучала вроде бы неподдельная радость.

О небо, шум на шестом этаже стал вполне определенным: там захлопнулась дверь.

— Да-да, вечер добрый, — пробормотала я и ввалилась в квартиру, чуть ли не отпихнув хозяина.

— Позвольте, я помогу вам, — сказал месье Одзу, все так же широко улыбаясь.

Я отдала ему свою сумочку и посмотрела по сторонам.

Первое же, что я увидела в просторной прихожей, приковало мой взгляд.

9. ЦВЕТА ТУСКЛОГО ЗОЛОТА

Прямо напротив входа, в ярком световом пятне, висела картина.

Оцените ситуацию: я, Рене, консьержка пятидесяти с лишним лет, с торчащими косточками на ногах, рожденная в грязи и обреченная прозябать в ней, очутилась в гостях у богатого японца, обитателя дома, где я служу, а все из-за того, что не удержалась и встрепенулась на цитату из «Анны Карениной»; я, Рене, сама не своя от страха и смущения, почти парализованная сознанием того, сколь кощунственно мое присутствие в таком месте, физически вполне доступном, но составляющем часть другого мира, к которому я не принадлежу и который чурается консьержек; я, Рене, случайно задеваю взглядом висящую за спиной у месье Одзу небольшую, специально освещенную картину в рамке темного дерева.

Одной лишь чудодейственной силой искусства можно объяснить то, что чувство ущербности вдруг заглохло во мне, вытесненное мощным эстетическим импульсом. Забыв, кто я такая, завороженная, я шагнула вперед и обогнула месье Одзу.

Это был натюрморт: стол, накрытый для легкой закуски — устрицы и хлеб. На первом плане серебряное блюдо, на нем полуочищенный лимон

208

и нож с резной рукояткой. На заднем — две устрицы с закрытыми створками, поблескивающий перламутром осколок ракушки и оловянная тарелка, наполненная, скорее всего, перцем. Посередине — опрокинутый бокал, разломанный хлебец с белым мякишем, левее — еще один, до половины заполненный светло-золотистой жидкостью, большой, пузатый, точно опрокинутый купол, бокал на толстой цилиндрической ножке из стеклянных дисков. Все выдержано в гамме от желтого до эбеново-черного. А фон цвета тусклого, матового золота.

Я обожаю натюрморты. В библиотеке я пересмотрела все художественные альбомы, выискивая в каждом образчики любимого жанра. Была в Лувре, в музее Орсэ, Музее современного искусства, в 1979 году видела выставку Шардена в Пти-Пале — изумительное открытие! Но все, что написал Шарден, не стоит и одного натюрморта великих голландских мастеров XVII века. Работы Питера Класа, Виллема Клас Хеды, Виллема Кальфа и Осиаса Берта — настоящие шедевры жанра, да и просто шедевры, за которые я, не колеблясь ни секунды, отдала бы все итальянское Кватроченто.

Тот, что был передо мной, вне всякого сомнения, принадлежал кисти Питера Класа.

— Это копия, — сказал мне в спину месье Одзу, о котором я совершенно забыла.

Видно, у этого человека особый дар — заставлять меня вздрагивать.

Я вздрогнула.

Пришла в себя и уже приготовилась сказать что-нибудь вроде: «Очень мило!» — по отношению к искусству это все равно что «довлеть над» по отношению к языку.

Приготовилась, вновь мобилизовав средства самообороны, вернуться в роль тупой консьержки и в ответ на «Это копия» подивиться: «Чего только нынче не сделают!»

Приготовилась наконец нанести решительный удар, который раз и навсегда рассеет подозрения месье Одзу и послужит непреложным доказательством моего убожества, то есть заметить: «Такие чудные рюмки!»

И вот я обернулась.

В последний момент мне показалось самым подходящим спросить: «Копия чего?» — но слова застряли в горле, и вместо этого я выдохнула:

— Прекрасный натюрморт!

10. В ЧЕМ СОЗВУЧНОСТЬ?

Какова природа восторга, который мы испытываем перед определенными произведениями? Они поражают нас с первого взгляда, и сколько бы потом мы ни тщились отыскать причины этого явления, сколько бы ни пытались, терпеливо и упорно, постичь суть красоты, рожденной мастерством, сколько бы ни разбирали тонкую работу кисти, которая сумела передать игру теней и света, воссоздать совершенство формы и текстуры: прозрачную сердцевину стекла, неровную зернистость раковин, свежую бархатистость лимона, — все это не раскрывает и не объясняет тайну первоначального изумления.

Это чудо происходит все вновь и вновь: великие картины являют нашему взору формы, отвечающие заложенному в нас чувству подлинности, независимой от времени. Есть что-то бесконечно волнующее в том явном факте, что некие формы, пусть разные художники и придают им разный вид, проходят через всю историю живописи и что существует всеобщий гений, являющий множество граней в творчестве каждого отдельного гениального мастера. В чем созвучность творений Класа, Рафаэля, Рубенса и Хоппера? Несмотря на разницу сюжетов, техники и материала, несмотря на краткость и эфемерность человеческой жизни, неизбежно принадлежащей только одной эпохе и только одной культуре, несмотря, наконец, на единственно возможный для художника взгляд на мир — ибо он видит все так, как устроено его зрение, и страдает от узких рамок собственной индивидуальности, — гений великих мастеров проникает в тайну красоты и извлекает на свет предвечную, одну и ту же, хотя в разных обличьях, божественную форму, которую мы ищем в любом произведении искусства. В чем созвучность творений Класа, Рафаэля, Рубенса и Хоппера? Мы находим в них — даже если и не ищем — ту самую форму, которая пробуждает в нас ощущение подлинности, потому что каждый угадывает в ней субстанцию прекрасного, абсолютную, неизменную, расцветающую стихийно, свободную от всякого контекста. Таков же и этот натюрморт с лимоном: его прелесть тоже несводима к виртуозности исполнения, он тоже вызывает чувство подлинности, чувство того, *что так и только так должны быть расположены предметы,* чтобы каждый представал во всей полноте и во взаимодействии с другими, чтобы взгляду открывалась их гармония, а также силы притяжения и отталкивания, действующие между ними и образующие мощное связующее их поле, тот магнетизм, ту подспудную, не выразимую словами волну, которыми держится напряжение и равновесие всей композиции, — то есть в расположении бокалов, блюд и снеди читается та самая всеобщность, выраженная в особенном, та самая непреходящая подлинная форма.

11. ЖИЗНЬ БЕЗ НАЧАЛА И КОНЦА

Для чего нужно искусство? Чтобы воспроизводить краткий, но ошеломительный эффект камелии, вбивать в ткань времени клин эмоций, выходящих за пределы пяти животных чувств. Как рождается искусство? Оно обязано своим существованием способности человеческого разума создавать чувственные образы. Что делает для нас искусство? *Оно облекает в форму* и делает видимыми наши эмоции, тем самым налагая на них печать вечности; такую печать несут все произведения, способные воплощать в частной форме всеобщее содержание сферы чувств.

Печать вечности... О какой незримой жизни говорят нам все эти яства, кубки, ковры и бокалы? За рамками картины — суета и скука повседневности, непрерывное, изнурительное и бессмысленное мельтешение самых разных устремлений, внутри же нее — полнота мгновения, которое выхвачено из времени, пожираемого человеческой алчностью. О, эта алчность! Мы не способны перестать желать, и это одновременно превозносит и убивает нас. Желание! Оно завладевает нами и терзает нас, каждый день бросая на поле битвы, где накануне мы потерпели поражение, но которое сегодня снова залито солнцем и снова манит нас завоеваниями; оно призывает, хоть завтра мы умрем, громоздить империи, обреченные рассыпаться в прах, как будто знание того, что они очень скоро рухнут, не должно умерить жажду строить их прямо сейчас; оно питает нашу неутолимую страсть обладать тем, что нам недоступно; на заре нашей жизни оно выводит нас на зеленую равнину, усеянную трупами, и снабжает запасом замыслов и планов, которых хватит до самой смерти: едва исполнен один, как появляется другой. Но бесконечно желать так утомительно... И нам хочется удовольствия, за которым не надо гнаться, мы мечтаем о блаженстве, которое возникает само собой, не в результате стремлений и достижений, а как проявление самого нашего естества. Искусство и есть такое блаженство. Ведь не я накрыла этот стол. И чтобы видеть эту снедь, мне нет надобности ее желать. Кто-то другой где-то, *в другой жизни,* задумал этот пир, кто-то прельстился затвердевшей прозрачностью стекла и усладил свой вкус соловатым глянцем устрицы с лимонным соком. Среди сотни замыслов, кипевших в чьей-то голове и мгновенно породивших тысячу других, должно было выделиться намерение приготовить и вкусить эту устричную трапезу, чтобы получился такой натюрморт.

Мы же смотрим на картину и получаем, не прилагая никаких усилий, наслаждение от схваченной на лету красоты вещей, испытываем радость без вожделения, созерцаем то, что возникло помимо нашей воли, восторгаемся тем, чего нам не пришлось желать. И поскольку этот натюрморт являет собой красоту, которая насыщает наше желание, но порождена желанием другого человека, доставляет нам удовольствие, которое не входило в наши намерения, дарована нам, хотя и не потребовала от нас напряжения воли, он воплощает в себе квинтэссенцию искусства, причастность к вечности. В немой, неподвижной сцене, где нет ничего живого, воплощено время, свободное от замыслов, совершенство, не скованное никакими сроками и не разъедаемое алчностью, наслаждение без желания, жизнь без начала и конца, красота без усилий.

Ибо искусство — это эмоция вне желания.

Дневник всемирного движения
Запись № 5

Пошевельнется или нет.

Сегодня мама водила меня к своему психоаналитику. Потому что я прячусь. «Ты же понимаешь, милая, нас очень тревожит, что ты от всех прячешься. По-моему, тебе стоило бы обсудить это с доктором Тейдом, особенно после того, что ты нам недавно сказала». Ну, во-первых, этот Тейд — «доктор» только в бедных взбаламученных маминых мозгах. Он такой же врач, как я, и степени у него нет, но маме ужасно приятно называть его доктором, ему же — тешиться мыслью, что он ее лечит, причем это лечение требует немалого времени (оно длится уже десять лет). Это бывший левак, который после нескольких лет не бог весть какой напряженной учебы в Нантерре и судьбоносной встречи с корифеем великой лиги продолжателей дела Фрейда ударился в психоанализ. А во-вторых, я не вижу никаких причин для паники. Что я «от всех прячусь» — это, положим, правда. Я стараюсь уединиться, забраться куда-нибудь, где меня никто не найдет. Потому что хочу без помех вести свой «Дневник всемирного движения» и записывать свои «Глубокие мысли», а до этого просто хотела спокойно подумать, так чтобы меня не донимали всякие глупости, которые изрекает моя сестрица и вещают ее любимое радио- и телепрограммы, и чтобы мама не приставала со своим воркованием: «Иди поцелуй мамочку, детка!» — не знаю фразы противнее этой.

Обычно, когда папа сердито спрашивает: «Да почему ты вечно прячешься?» — я ничего не отвечаю. Что я могу сказать? «Потому что вы действуете мне на нервы и потому что мне надо успеть закончить перед смертью серьезный труд»? Такого, ясно, не скажешь. А в последний раз я решила пошутить — ну, чтобы разрядить обстановку. Посмотрела на папу туманным взором и прошептала умирающим голосом: «Я слышу голоса, это все из-за них». Батюшки-светы, что тут поднялось! У папы глаза на лоб полезли, он помчался звать маму с Коломбой, те живо прискакали, и все затараторили хором: «Ничего страшного, дорогая, мы тебе поможем» (папа), «Я сейчас же позвоню доктору Тейду» (мама), «А сколько голосов ты слышишь?» (Коломба) и т. д. Мамино лицо, как бывает в особо торжественных случаях, выражало озабоченность и возбуждение: вдруг моя дочь — редкий медицинский казус? Какой ужас, зато какая честь! В общем, семейство так переполошилось, что даже когда я сказала: «Да нет! Это просто шутка!» — мне пришлось повторить это несколько раз, прежде чем меня услышали и, главное, мне поверили. Да и то, я не уверена, что убедила их. Так или иначе, мама записалась на прием к д-ру Т., и сегодня утром мы к нему ходили.

Сначала ждали в роскошной приемной, заваленной старыми и новыми журналами: «Гео» десятилетней давности и последний номер «Эль» на видном месте. Наконец д-р Т. явился. Очень похожий на свою фотографию (в одном журнале, который мама гордо всем показывает), но живьем, с добавлением цвета (каштанового) и запаха (трубочного табака). Вальяжный мужчина лет пятидесяти, лощеный, с ухоженными волосами, небольшой бородкой; все в нем и на нем сплошь каштановое: кожа (сейшельский загар), свитер, брюки, ботинки, ремешок часов — все одного и того же оттенка самого что ни на есть натурального каштана. Или сухих листьев. Аромат дорогого табака (мед и вяленые фрукты) дополняет эту гамму. Что ж, подумала я, проведем сеанс в осенних тонах, беседу у камелька в узком кругу, утонченную, конструктивную, этакую, можно сказать, шелковистую (мое любимое словечко) беседу.

Мама зашла в кабинет вместе со мной, мы с ней сели на стулья перед письменным столом, а док — по его другую сторону, в вертящееся кресло с причудливым подголовником, как в «Star Trek». Он сложил руки на животе, посмотрел на нас и сказал: «Приятно видеть вас обеих».

Начало — хуже некуда. Я с ходу разозлилась. Так мог бы сказать какой-нибудь продавец из супермаркета, довольный случаем продать зубные щетки с двойной головкой мамаше с дочкой, выкатившимся из своего «кадиллака», но уж никак не психолог. Однако злость так же быстро прошла — я вдруг заметила потрясающую вещь, как раз для моего «Дневника всемирного движения». Сначала не поверила себе — не может быть! — вгляделась пристальнее, стала следить и убедилась: в самом деле! Так оно и есть! Невероятно! Я была так захвачена наблюдением, что еле слышала мамины жалобы (наша дочь от всех прячется, наша дочь пугает нас, говорит, что слышит голоса, наша дочь с нами не разговаривает, мы очень беспокоимся за нашу дочь) — раз сто повторила она эту «нашу дочь», хоть я сидела в полшаге от нее, а когда ко мне обратился доктор, подскочила от неожиданности.

Дело вот в чем. Д-р Т., конечно, был живой — я видела, как он вошел, сел в кресло, слышала, как он говорил. Но, не считая этого, он вполне мог сойти за мертвого, потому что совсем не шевелился. Как сел в свое огромное кресло, так и застыл, двигались одни губы, да и то еле-еле. Все остальное было совершенно неподвижно. Обычно, когда говоришь, шевелятся не только губы, невольно делаешь и другие движения: работают мускулы лица, легонько двигаются руки, шея, плечи, и даже когда молчишь, трудно сохранять полную неподвижность, нет-нет что-нибудь где-нибудь дрогнет, то моргнешь, то ногу переставишь и т. д.

А тут — ничего! Nada! Wallou! Nothing![1] Живая статуя! Вот это да! «И что вы, барышня, на все это скажете?» — спросил меня д-р Т., тут-то я и подскочила. Но сразу ответить не смогла — слишком была поглощена наблюдением

---

[1] Ничего (*исп., араб., англ.*).

за ним, понадобилось какое-то время, чтобы переключиться. Мама ерзала на стуле, как будто у нее был геморрой, зато док глядел на меня не мигая. «Я заставлю, заставлю его пошевелиться. Что-то же должно его пронять!» — подумала я и заявила: «Я буду говорить только в присутствии моего адвоката», в надежде, что это подействует. Ничего подобного — статуя не шелохнулась. Мама, та вздохнула, как великомученица, а док — хоть бы хны. «Твоего адвоката... хм...» — процедил он без единого движения. Меня разобрало не на шутку. Шевельнется — не шевельнется? Я решила бросить в бой все силы. «Но здесь не суд, — добавил док. — Ты и сама это знаешь... хм...» Игра стоила свеч: если я заставлю его шевельнуться, то день пройдет недаром! «Милая Соланж, — проговорила статуя, — я хотел бы поговорить с девочкой наедине». Милая Соланж встала, посмотрела на него, как слезливый спаниель, и пошла в двери, делая много лишних движений (наверно, для компенсации).

«Мама очень тревожится за тебя», — начал док. Он превзошел себя: не шевелил даже нижней губой. Поразмыслив, я поняла, что прямая провокация вряд ли что-то даст. Хотите, чтобы ваш психоаналитик почувствовал себя во всеоружии? Тогда провоцируйте его, как подросток своих родителей. Поэтому я выбрала серьезный тон: «Вы считаете, это как-то связано с форклюзией Имени Отца?» Думаете, это заставило его шевельнуться? Ошибаетесь. Он остался неподвижным и невозмутимым. Однако же в глазах его, мне показалось, пробежала легкая рябь. И я решила разрабатывать эту жилу. «Хм?» — отозвался док. — Вряд ли ты понимаешь, что говоришь». — «Еще как понимаю! Впрочем, кое-что у Лакана мне действительно не совсем ясно: например, его отношения со структурализмом». Док приоткрыл рот, чтобы что-то сказать, но я его опередила: «Да, и вот еще матемы. Это так сложно — все эти узлы. А вы-то сами что-нибудь смыслите в лакановской топологии? Ведь, кажется, все давно уже сошлись на том, что это сплошное мошенничество?» Тут я заметила некоторый прогресс: он не успел закрыть рот и остался сидеть с отвисшей челюстью. Но скоро овладел собой, и на его лице утвердилось статическое выражение, словно говорившее: «Ну-ну, голубушка, значит, ты хочешь поиграть со мной в такую игру?» Да, мороженый каштанище, я хочу поиграть с тобой в такую игру. Я сделала паузу и дала ему ответить. «Я знаю, что ты очень умная девочка, — сказал он (ценная информация, полученная от милой Соланж по цене шестьдесят евро за полчаса). — Но можно быть очень умной и все же несчастной. Многое понимать и все же страдать». Глубокая мысль! Где ты ее вычитал: случайно, не в «Пиф-гаджете»?[1] — чуть не спросила я. Мне вдруг неудержимо захотелось поговорить с этим типом иначе. Как-никак, он обходился моей семье в шестьсот евро в месяц на протяжении десяти лет, а результат налицо: пациентка каждый день по три часа опрыскивает комнатные растения и заглатывает бешеное количество патентованных лекарств. У меня застучало в висках, я наклонилась над столом и прошипела: «Послушай, ты, замороженный продукт, давай заключим небольшую сделку. Ты оставишь меня в покое, а я за это не стану распускать о тебе гнусные слухи на весь деловой и дипломатический Париж, иначе тебе придется закрывать свою лавочку. И если ты действительно знаешь, какая я умная, то должен понять, что мне это вполне под силу». Честно говоря, на успех я не рассчитывала. У меня и в мыслях не было, что такая штука может сработать. Надо же быть полным олухом, чтобы принять всерьез такую чушь. И однако — невероятное свершилось, победа! Добрейший доктор Тейд изменился в лице. Кажется, он поверил! Какая дичь — если есть на свете что-то, чего бы я никогда не могла сделать, так это оклеветать кого-то, чтобы ему навредить. Папа-республиканец заразил меня вирусом честности, и я, сколько бы ни считала это понятие таким же нелепым, как все прочие установки, строго придерживаюсь усвоенных

---

[1] *«Пиф-гаджет»* — журнал комиксов для детишек.

правил. Но бедный док, у которого перед глазами была только мама, чтобы составить представление обо всем семействе, счел угрозу реальной. И, о чудо, шевельнулся! Он щелкнул языком, разнял руки, протянул вперед ладонь и хлопнул ею о замшевый подлокотник. Жест отчаяния и одновременно устрашения. Затем он встал — причем от его любезности и доброжелательности не осталось и следа, — подошел к двери, позвал маму, что-то наболтал ей: дескать, я психически здорова, все будет в порядке, и шли бы вы куда подальше от моего осеннего камелька.

Сначала я была горда собой. Заставила-таки его шевельнуться! Но чем ближе к вечеру, тем горше становилось на душе. Потому что это его движение проявило только гадость и мерзость. Конечно, я отлично знаю, что взрослые нередко прикрывают масками добряков да мудрецов свою жестокость и уродство; знаю, что эти маски падают, стоит только их подцепить, — но уж очень гадко, когда это происходит так резко. Давешний хлопок по подлокотнику означал: «Отлично, раз ты видишь меня таким, каков я есть, бесполезно ломать комедию, сделка так сделка, черт с тобой, и вали отсюда поскорее!» Противно, ужасно противно. Мне достаточно знать, что мир безобразен, и вовсе не хочется еще и видеть это воочию.

Уйти, уйти из этого мира, где, что ни шевельни, найдешь одно уродство.

12. ЛУЧ НАДЕЖДЫ

Кому бы укорять феноменологов за их аутизм и отрыв от живого, но не мне, посвятившей всю жизнь погоне за непреходящим.

Но кто ищет вечное, обретает одиночество.

— Да, — ответил мне хозяин дома. — Я тоже так думаю. На редкость непритязательный, но гармоничный.

У месье Одзу очень красиво и просторно. Рассказы Мануэлы уже подготовили меня к тому, что я увижу японский интерьер, и действительно, здесь есть и раздвижные двери, и деревца-бонсай, и толстый черный ковер с серой каймой, и много азиатских вещей: темный лаковый столик на низких ножках, бамбуковые шторы на впечатляющем ряде окон, каждая задернута по-своему, а все вместе придают комнате восточный колорит, — но есть и вполне европейские кресла, канапе, консоли, лампы и книжные полки. Все очень... элегантно. И, как правильно заметили Мануэла и Жасента Розен, никаких излишеств. Правда, не настолько пусто и строго, как я думала, пытаясь представить себе интерьеры из фильмов Одзу в более роскошном исполнении, но чувствуется тот же лаконизм, свойственный этой удивительной культуре.

— Пойдемте дальше, — сказал месье Одзу. — Здесь не так уютно. Мы будем ужинать на кухне. Готовлю я сам.

Только тут я заметила, что на нем ярко-зеленый фартук поверх каштанового цвета свитера и бежевых брюк. А на ногах черные кожаные тапочки.

Я потрусила за ним на кухню. Ничего себе! В такой обстановке я готова стряпать хоть каждый день, хоть бы и для одного Льва. Тут все должно быть необыкновенно, небось даже открыть банку кошачьего корма — и то приятно.

— Я страшно горд своей кухней, — простодушно сказал месье Одзу.

— Есть чем гордиться! — ответила я без тени иронии.

Белые стены, шкафчики светлого дерева, большие разделочные столы и сушилки с синей, черной и белой фарфоровой посудой. Посередине плита с духовкой, мойка с тремя раковинами и что-то вроде барной стойки с высокими табуретами, на один из которых я уселась, лицом к месье Одзу, который принялся колдовать над комфорками. Передо мной стояла бутылочка саке и две прелестные чашечки из синего фарфора с прожилками.

— Вы знакомы с японской кухней? — спросил месье Одзу.

— Не очень.

Луч надежды засветился у меня в душе. Заметьте, в самом деле, гипнотический голландский эпизод прошел без всяких комментариев, прошел и забылся; мы вообще за все время десятка слов друг другу не сказали, просто я сижу тут как старая знакомая, а месье Одзу в зеленом фартуке что-то стряпает.

Может быть, все ограничится дегустацией азиатских блюд? А Толстой и все мои подозрения — пустые страхи. Новый жилец месье Одзу, не очень разбираясь в социальной иерархии, взял и пригласил консьержку на экзотический ужин. И вот они беседуют на кухне о сашими и лапше в соевом соусе.

Что может быть невиннее?

Вот тут-то и разразилась катастрофа.

13. НЕСЧАСТНЫЙ МОЧЕВОЙ ПУЗЫРЬ

Прежде всего должна признаться: у меня очень маленький мочевой пузырь. Как иначе объяснить, что после одной-единственной чашечки чая я немедленно должна бежать в одно место, а по ходу чаепития эти визиты повторяются не раз? Мануэла, та настоящий верблюд: удерживает выпитое часами, сидит себе и преспокойно ест свои пирожные, пока я курсирую туда-сюда. Но это происходит у меня дома, где путь до туалета недалекий и хорошо мне известный.

Так вот, несчастный мочевой пузырь заявил о себе как раз сейчас, и, учитывая, сколько литров чая было выпито за сегодняшний вечер, смысл этого сигнала был мне предельно ясен: запас емкости на нуле.

Как в высшем свете задают такой вопрос?

«Где тут сортир?» — пожалуй, не слишком подобающе.

А наоборот:

«Будьте добры, покажите, куда мне пройти?» — хотя и очень деликатно, поскольку искомое место не называется впрямую, но не слишком понятно, а потому чревато еще большей неловкостью.

«Мне нужно пописать», — коротко и ясно, но такого не говорят за столом, тем паче чужому человеку.

«Где у вас туалет?» — тоже не очень. Грубовато и напоминает провинциальный ресторан.

Неплохо бы вот так:

«Где уборная?» — напоминает детство и домик в глубине сада. Но это воспоминание неизбежно пованивает.

И вдруг меня осенило.

— Рамен — это лапша, сваренная в бульоне, изначально китайское блюдо, но уже давно привычное у японцев, — объяснял мне в это время месье Одзу, окунув на минутку в холодную воду изрядную порцию лапши.

— Скажите, пожалуйста, где тут у вас удобства? — находчиво ввернула я в ответ.

Резковато, не спорю.

— О, простите, я вам не показал, — совершенно спокойно произнес месье Одзу. — Вон та дверь, у вас за спиной, а потом вторая по коридору дверь направо.

Хоть бы и дальше все оказалось так просто!

Но не тут-то было.

Дневник всемирного движения
Запись № 6

Трусики или Ван Гог?

Сегодня мы с мамой ходили на распродажу в магазины на улице Сент-Оноре. Это ад кромешный. Кое-где даже стояла очередь. А вы, уж верно, знаете, что тут за магазины: страшно подумать, чтобы люди так рвались купить какой-нибудь шарфик или пару перчаток, которые даже со скидкой стоят не меньше, чем картина Ван Гога! Однако великое множество дам страстно и даже несколько неэлегантно стремятся сделать такое приобретение.

И все же грех жаловаться — в этот день мне удалось заметить очень интересное движение. Правда, не очень эстетичное. Зато какое энергичное! И довольно забавное. Или, сама не знаю, может, скорей трагичное? Я сильно снизила планку с тех пор, как начала вести этот дневник. Собиралась улавливать гармонию всемирного движения, а скатилась до драки светских дам из-за кружевных трусиков. Ну и ладно... Не очень-то я и верила в эту затею. Так пусть будет, как получается, по крайней мере, можно немножко поразвлечься.

Дело было так: мы с мамой зашли в магазин тонкого белья. Чего стоит одно название! Какое еще бывает белье? Толстое? На самом деле это всего лишь означает белье секси, ничего общего с добрыми хлопковыми штанишками, какие носили наши бабушки. Но на Сент-Оноре, понятное дело, секси не простое, а шикарное: трусики с кружевами ручной работы, шелковые стринги, кашемировые ночные рубашечки. В очереди нам стоять не пришлось, но что толку: все равно внутри было не протолкнуться. Я чувствовала себя так, будто меня засунули в соковыжималку. А мама, как назло, принялась с упоением рыться в белье какой-то сомнительной расцветки: красно-черное или грязно-синее. Я не знала, куда деваться, в каком углу спокойно посидеть и дождаться (слабая надежда!), чтоб она подыскала себе мягкую пижамку, и в конце концов забилась за примерочные кабинки. Оказалось, я не одна: там уже сидел мужчина, один-единственный на весь магазин, со скорбным видом Посейдона, побежденного Афиной. Вот она, обратная сторона идиллии «я так люблю тебя, дорогая». Несчастного затащили на суматошную распродажу шикарного белья, и вот он топчется на вражеской территории, среди трех десятков мечущихся в экстазе самок, которые наступают ему на ноги и обжигают злобными взглядами, куда бы он ни пытался пристроить свой громоздкий мужской корпус. И его милая тоже превратилась в разъяренную фурию, готовую убить соперницу из-за розовых трусиков-танга.

Я посмотрела на него с сочувствием, а он ответил мне взглядом затравленного зверя. С моего места можно было обозревать весь магазин, и я отлично видела маму: она обмирала над малепусеньким бюстгальтером, отделанным белым кружевом (хорошо хоть так) и украшенным крупными сиреневыми цветами. Маме сорок пять лет, и ей бы не мешало сбросить несколько килограммов, однако крупные сиреневые цветы ее нисколько не отпугивают, а простой и благородный гладко-бежевый цвет, наоборот, внушает ужас. В общем, мама вцепилась в крохотный бюстгальтер с цветочками подходящего, по ее прикидке, размера и вытаскивает вторую часть гарнитура, трусики, которые застряли в контейнере несколькими слоями глубже. Поначалу она уверенно тянет, но вдруг недовольно хмурится: дело в том, что с другой стороны контейнера те же трусики тянет другая дама, которая тоже недовольно хмурится. Дамы смотрят друг на друга, на контейнер, убеждаются, что это последние такие трусики, оставшиеся после нескольких часов распродажи, и вот уже обе готовы сразиться, а для начала обмениваются ядовитыми улыбками.

И вот вам первое интересное движение. Злосчастные трусики за тридцать евро — всего-навсего полоска тончайшего кружева в несколько сантиметров длиной. Следовательно, дамам нужно одновременно улыбаться, крепко держать добычу, тянуть ее на себя, но так, чтоб не порвать. Говорю со всей ответственностью: если в нашем мире действуют неизменные физические законы, то проделать это невозможно. После нескольких безуспешных попыток дамы посылают Ньютона куда подальше, но не отступаются, а решают продолжить войну другими средствами, то есть при помощи дипломатии (одна из любимых папиных цитат). Это вызывает новое интересное движение: теперь надо продолжать тянуть к себе трусики, притворяясь, будто понятия не имеешь о том, что делаешь, и в учтивых выражениях просить уступить желанный предмет. И мама, и другая дама вдруг словно бы лишились правых рук, которыми держали трусики. Как будто никакой правой руки у них обеих нет в помине, как будто трусики лежат себе в контейнере, а дамы вежливо беседуют и не пытаются присвоить их силой. Куда девалась правая рука? Фью! Улетела! Испарилась! Дипломатия, и только дипломатия!

Но, как всем известно, когда силы равны, дипломатия терпит крах. Сильнейший никогда не примет дипломатические предложения противника. Поэтому переговоры, которые начались с того, что стороны в один голос заявили: «Мне кажется, мадам, я взяла эту вещь раньше вас!» — ни к чему не привели. Когда я подошла к месту схватки, дело дошло до полных решимости деклараций: «Не отдам!»

Проиграла, конечно же, мама: при моем появлении она вспомнила, что она респектабельная мать семейства и не может, не уронив своего достоинства в глазах дочери, заехать левой рукой по физиономии соперницы. Поэтому она вернула себе управление правой и отпустила трусики. Исход таков: одной из дам достались трусики, другой —

бюстгальтер. За ужином настроение у мамы было самое мрачное. А когда папа спросил, что случилось, она ответила: «Тебе, как депутату, следовало бы больше внимания уделять внедрению в общество цивилизованных норм общения и поведения».

Но вернемся к интересующему нас движению: две дамы в здравом уме вдруг перестают осознавать действия какой-то части своего тела. Получается что-то очень странное: внезапное выпадение из реальности, черная дыра в пространстве и времени, как в фантастическом романе. Этакий, что ли, антижест, движение со знаком минус.

И я подумала: если можно делать вид, что у тебя нет правой руки, распространяется ли это на все остальное? Можно ли жить с минус-сердцем или с антидушой?

14. ОДИН ТАКОЙ РУЛОНЧИК

Начальная стадия операции прошла нормально.

Я нашла вторую по коридору дверь направо, не испытав, в силу незначительного размера своего пузыря, и тени соблазна заглянуть в семь других, и сделала свое дело, причем облегчение даже потеснило чувство неловкости. Хорошо, что я не спросила месье Одзу про «уборную». Какая же это «уборная»: все, от стен до унитаза, белоснежное, включая само сиденье, столь девственно-чистое, что и сесть-то страшно — не запачкать бы. Эта стерильность напоминала бы медицинский кабинет, если б не пушистый, густой, шелковисто-блестящий, солнечно-желтый палас под ногами, который уж никак не вяжется с мыслью о больнице. Я смотрела и проникалась все большим уважением к месье Одзу. Строгая белизна, без всяких мраморных и прочих украшений, на которые обычно падки богачи, любящие помпезность в самых обыденных вещах, и солнечная нега паласа — идеальное сочетание для подобного помещения. Ведь что человеку тут нужно? Побольше светлого вокруг, чтобы не думать о внутренней и внешней циркуляции нечистот, да что-нибудь теплое на полу, чтобы отправлять физиологические потребности было комфортно и, в частности, чтоб ночью не мерзли ноги.

Так же безупречна туалетная бумага. Эта деталь, на мой взгляд, более убедительно говорит о степени богатства, чем обладание роскошным «мазерати» или «ягуаром»-купе. В разнице от прикосновения к тому или иному сорту туалетной бумаги, которую мы ощущаем задним местом, социальное расслоение проявляется гораздо явственнее, чем во многих внешних признаках. Бумага месье Одзу, плотная, мягкая, с тонким ароматом, создана для ублажения этой части нашего тела, чувствительной к подобным вещам, как никакая другая. «Сколько, интересно, стоит один такой рулончик?» — прикидываю я и нажимаю кнопку спуска воды, отмеченную двумя цветками лотоса, поскольку, несмотря на слабый клапан, мой маленький пузырь все же довольно вместителен. Нажать на один цветочек — было бы, наверно, в обрез, а на три — значило бы возомнить о себе слишком много.

Тут-то и началось...

В уши мне ударил звук такой сокрушительной силы, что я еле устояла на ногах. И самое ужасное, я не могла понять, откуда он исходит. Явно не из бачка — я даже не слышала, как стекает вода, нет, он обрушивался на меня откуда-то сверху. От испуга у меня бешено забилось сердце. Известные варианты реакций: *fight, flee* или *freeze*[1] перед лицом опасности. В моем случае получилось *freeze*. Я предпочла бы *flee*, но защелка на двери почему-то никак не открывалась. В голове проносились догадки, одна нелепее другой. Может, я все же плохо рассчитала и нажала не на ту кноп-

---

[1] Биться, бежать или столбенеть *(англ.)*.

ку — какое самомнение, Рене, какая *гордыня*: два цветочка для столь жалкой дозы! — и в наказание гром небесный ниспослан на мои барабанные перепонки? Или же на меня подействовал антураж, и я разнежилась — грех *сластолюбия* — при отправлении нужды, которой надлежит считаться низменной? Или уличена в другом смертном грехе, *зависти*, ибо пожелала шикарной туалетной бумаги ближнего своего? А может, мои заскорузлые пальцы плебейки, повинуясь бессознательному импульсу *гнева*, слишком грубо обошлись с цветами лотоса и повредили тонкий механизм, тем самым вызвав сантехническую катастрофу, от которой сотрясается весь этаж?

Я не оставляла стараний вырваться, но руки меня не слушались. Дергала, как могла, медную головку защелки, которая в каком-то положении должна же была выпустить меня на волю, но все без толку.

В этот момент я очень ясно поняла, что либо сошла с ума, либо попала на небо, потому что невнятный поначалу звук стал вполне отчетливым и, как ни дико, похожим на мелодию Моцарта.

А точнее, на Confutatis из его «Реквиема».

«Confutatis maledictis, Flammis acribus addictis!»[1] — выводил прекрасный хор.

Я вконец обезумела.

— У вас все в порядке, мадам Мишель? — раздался за дверью голос месье Одзу или, скорее, святого Петра, приставленного к вратам чистилища.

— Я... не могу открыть дверь! — простонала я.

---

[1] Посрамив нечестивых, // Пламени предав их адскому *(лат.)*.

Кажется, я хотела убедить месье Одзу в своей тупости?

Мое желание исполнилось.

— Возможно, вы поворачиваете головку не в ту сторону, — чрезвычайно учтиво подсказал святой Петр.

Проходит какое-то время, прежде чем эта мысль проникает в мой мозг и медленно доползает до нужной извилины.

Я поворачиваю головку в другую сторону.

Защелка открывается.

Confutatis умолкает. Меня окатывает благодатная тишина.

— Я... — сказала я месье Одзу — это все-таки он! — Я... вы... «Реквием»?

Ох, лучше б мне назвать своего кота Галиматьюном.

— Наверное, вы испугались! А я вас не предупредил! Это японское изобретение, которое моей дочери захотелось перенести сюда. Когда спускаешь воду, включается музыка — так приятнее, понимаете?

Я понимала только, что мы стоим в коридоре, на пороге туалета и что положение — смехотворнее некуда.

— А-а! — промычала я. — Ну да. Я очень удивилась. (А память о грехах, едва лишь я опомнилась, развеялась как дым.)

— Не вы первая, — деликатно сказал месье Одзу, но мне почудилось, что верхняя его губа смешливо дрогнула.

— «Реквием» в туалете — какой... оригинальный выбор. — Я постепенно приходила в себя, но, сказав это, ужаснулась — куда меня несет! Между тем мы все так же стояли в коридоре, лицом к

234

лицу, переминаясь и не очень понимая, как себя вести.

Месье Одзу смотрел на меня.

Я — на него.

Вдруг что-то странно клокотнуло у меня в груди, как будто дверца приоткрылась и захлопнулась. Потом тихонько затряслось все тело, и унять эту дрожь я никак не могла, а тут еще — только этого и не хватало! — трясучка, похоже, перекинулась на плечи месье Одзу.

Но мы еще стояли в нерешительности.

С губ месье Одзу слетело еле слышное «кху-кху-кху».

И точно такое же слабенькое, но непреодолимое «кху-кху-кху» затрепетало у меня в горле.

«Кху-кху-кху», — тихонько давились мы оба и недоверчиво глядели друг на друга.

Потом его «кху-кху» пробилось и усилилось.

Мое же перешло в регистр сирены.

Мы снова посмотрели друг на друга, а «кху-кху-кху» рвалось из легких все неудержимее. Стоило ему утихнуть, как мы снова встречались глазами и начинался новый спазм. У меня от смеха заболел живот, по щекам месье Одзу катились слезы.

Не знаю, сколько времени мы хохотали так перед раскрытой дверью в туалет. Пока не обессилели вконец. И лишь тогда, не потому, что отсмеялись, а просто от усталости, унялись.

Первым вышел на финиш месье Одзу.

— Пойдемте назад, — проговорил он, с трудом переводя дух.

15. ВЕСЬМА КУЛЬТУРНАЯ ДИКАРКА

— С вами не соскучишься, — это первое, что сказал месье Одзу, когда мы вернулись на кухню и я, поудобнее устроившись на своем табурете, принялась потягивать теплое саке, которое, честно говоря, не очень-то пришлось мне по вкусу. — Вы необыкновенная личность, — продолжил месье Одзу и подвинул ко мне белую пиалу с мелкими пельмешками, судя по виду, не жареными и не сваренными на пару, а как бы то и другое вместе. Рядом с пиалой он поставил чашечку с соевым соусом и объявил: — Гиоза.

— Напротив, — возразила я. — По-моему, я самая обыкновенная. Консьержка как консьержка. И жизнь у меня самая что ни на есть заурядная.

— Консьержка, которая читает Толстого и слушает Моцарта. Вот не знал, что это обычное дело среди ваших коллег. — Месье Одзу хитро мне подмигнул.

Он по-домашнему расположился справа от меня, вооружился палочками и тоже стал уплетать свою порцию гиоза.

Никогда в жизни мне не было так хорошо. Как бы сказать? Первый раз я чувствовала себя настолько спокойно в присутствии другого человека. Даже с Мануэлой, которой я бы доверила свою

236

жизнь, я не ощущаю себя в полной безопасности, потому что между нами нет такого взаимопонимания. Одно дело — доверить жизнь, и совсем другое — открыть душу; я люблю Мануэлу, как сестру, но не могу разделить с ней ту малую толику мыслей и эмоций, которые составляют смысл моего несуразного существования и которые я скрываю от всего мира.

Я подцепляла палочками и отправляла в рот гиоза с кориандром и пряным мясом и удивительно непринужденно болтала с месье Одзу, как будто мы были знакомы целую вечность.

— Ну, надо же и мне как-то развлекаться. Я хожу в районную библиотеку и беру там все, что есть.

— Вы любите голландскую живопись? — спросил он и, не дожидаясь ответа, добавил: — Если бы вам сказали, что можно спасти что-нибудь одно: или голландскую живопись, или итальянскую, — что бы вы выбрали?

Мы вступили в шуточный диспут, я с жаром защищала кисть Вермеера, но очень скоро оказалось, что по сути наши мнения сходятся.

— По-вашему, это кощунство? — спросила я.

— Ничуть, мадам, — ответил он, изящно помахивая пельменем над пиалой, точно маятником, — ничуть! Но можете ли вы себе представить, чтобы для украшения коридора я заказал копию Микеланджело? Лапшу надо окунать вот в этот соус, — продолжал он и поставил передо мной плетенку с длинной лапшой и сине-зеленую миску, от которой пахло... фисташками. — Это залу рамэн, блюдо из холодной лапши, соус к нему подают сладковатый. Попробуйте и скажите, как вам понравилось. — Он протянул мне большую полотняную салфетку. — Тут неизбежны некоторые издержки, смотрите не испачкайте платье.

— Спасибо, — откликнулась я, зачем-то прибавила: — Оно не мое. — И, совсем осмелев, призналась: — Понимаете, я давно уже живу одна, никуда не выхожу. И боюсь, превратилась в... дикарку.

— Если вы и дикарка, то весьма культурная, — улыбнулся месье Одзу.

Лапша с фисташковым соусом была изумительно вкусная. А вот состояние платья Марии оставляло желать лучшего. Не так-то просто обмакнуть в жидкий соус целый метр лапши и запихнуть в рот, не забрызгавшись. Месье Одзу расправлялся со своей очень ловко и довольно шумно, поэтому и я без всякого стеснения засасывала длинные петли.

— Нет, серьезно, — сказал месье Одзу, — это же поразительно! Вашего кота зовут Лев, моих кота и кошку — Левин и Кити, мы оба любим Толстого и голландскую живопись и живем в одном подъезде. Какова вероятность такого совпадения?

— Напрасно вы подарили мне это роскошное издание, — сказала я. — Не стоило.

— Это доставило вам удовольствие?

— Конечно, но еще и напугало. Я ведь очень стараюсь никому ничего не показывать и не хотела бы, чтоб все здесь поняли...

— ...кто вы такая? — закончил месье Одзу. — Но почему?

— Не хочу лишних сложностей. Людям не нравится, когда консьержка корчит из себя невесть что.

— Почему же корчит? Вы ничего из себя не корчите, у вас на самом деле хороший вкус, вы много знаете, вы умны!

— Но я консьержка! И потом, у меня нет никакого образования, я совсем из другого круга.

— Подумаешь, большое дело! — воскликнул месье Одзу. И надо же, точь-в-точь как Мануэла!

Я рассмеялась — он вопросительно посмотрел на меня.

— Это любимое выражение моей лучшей подруги, — объяснила я.

— И что эта подруга говорит о вашей... скрытности?

Понятия не имею!

— Вы ее знаете, — сказала я вместо ответа. — Это Мануэла.

— А-а, мадам Лопес? Она ваша подруга?

— Единственная.

— Благородная дама, настоящая аристократка, — сказал месье Одзу. — Вот видите. Не вы одна нарушаете каноны. И что тут плохого? Мы, черт побери, живем в двадцать первом веке!

— Кто были ваши родители? — спросила я, слегка ужасаясь своей бесцеремонности.

Месье Одзу, наверное, думает, что сословные различия исчезли вместе с Эмилем Золя.

— Отец был дипломатом, а матери я не знал, она умерла вскоре после моего рождения.

— Простите, — пробормотала я.

Он махнул рукой — дескать, это было давно.

А я продолжила:

— Вы сын дипломата, а я дочь бедных крестьян. И чтобы я ужинала с вами, в вашем доме — это совершенно немыслимо.

— Однако вы сегодня ужинаете со мной, в моем доме, — сказал он и добавил с очень милой улыбкой: — И это для меня большая честь.

Так мы и болтали, приятно и весело. О чем только не говорили: о Ясудзиро Одзу (дальний родственник), о Левине, Толстом и как они косили вместе с мужиками, об изгнании и неистребимом своеобразии разных культур — обо всем, что только взбредало на ум, и всегда с увлечением, наслаждаясь последними мотками лапши и еще больше — неправдоподобным сходством наших взглядов.

— Зовите меня лучше Какуро, — предложил месье Одзу, — это не так пышно. А я, если позволите, буду вас звать Рене.

И я охотно согласилась. Откуда такая легкость, такое неожиданное сродство? Но от саке в мозгу приятная ленца, подумаем об этом позже.

— Вы знаете, что такое азуки? — спросил вдруг Какуро.

— Горы в Киото... — Я улыбнулась этому воспоминанию о каплях вечности.

— Что-что? — переспросил он.

— Горы в Киото такого же сизого цвета, как фасоль азуки. — Я попыталась говорить не так бессвязно.

— Ах да, это ведь из какого-то фильма? — спросил Какуро.

— Из «Сестер Мунаката», сцена в самом конце.

— Я его видел, только очень давно, и плохо помню.

— И камелию в храме на мху, наверное, не помните?

— Нет. Но теперь охотно посмотрел бы этот фильм еще раз. Что, если как-нибудь на днях мы это сделаем вместе?

— У меня есть кассета, — сказала я. — Я ее еще не сдала в библиотеку.

— Может, в выходные?

— А у вас есть видеомагнитофон? — спросила я.

Он улыбнулся:

— Есть.

— Тогда договорились. Только давайте условимся: будем смотреть фильм за чаем, а сладкое я принесу с собой.

— Договорились!

Ужин продолжался, мы все болтали и болтали, забыв о времени и светских условностях и потягивая какой-то чудной отвар со вкусом водорослей. Мне, как нетрудно догадаться, пришлось еще раз навестить комнатку с белоснежным стульчаком и солнечным паласом. На этот раз, наученная опытом, я выбрала кнопку с одним лотосом и восприняла *Confutatis* с невозмутимостью посвященных. Что подкупает и ошеломляет в Какуро Одзу, так это сочетание юношеской непосредственности и задора с мудрой добротой и вниманием. Я никогда не видела, чтоб человек смотрел на мир вот так, со снисхождением и любопытством; все, кого я знаю, относятся к нему иначе: беззлобно и недоверчиво (как Мануэла), беззлобно и доверчиво (как Олимпия) или же злобно и нагло (как все остальные). А тут — такой восхитительный букет великодушия, азарта и трезвости.

Наконец мне на глаза попались часы.

241

Уже три!

Я вскочила как ошпаренная:

— Боже мой, вы знаете, сколько времени?

Какуро тоже посмотрел на часы, потом на меня и обеспокоенно сказал:

— Вам рано вставать, а я совсем забыл. Мне-то что, я давно не работаю. И как же вы теперь?

— Да ничего, — ответила я, — но я должна хоть чуточку поспать.

Не говорить же ему, что хоть я уже не молода, а старики, как принято считать, спят очень мало, но мне нужно продрыхнуть часов восемь, не меньше, чтоб у меня варила голова.

У порога Какуро простился:

— До воскресенья.

— Спасибо за прекрасный вечер, — сказала я, — я очень вам благодарна.

— Это вам спасибо, — ответил он. — Мне давно не выпадало случая так посмеяться и так приятно побеседовать. Я провожу вас вниз?

— Нет, спасибо, не нужно! — Вдруг да наткнешься на лестнице на какого-нибудь там Пальера! — Значит, до воскресенья. А может, увидимся и раньше.

— Спасибо вам, Рене, — повторил Какуро с радостной детской улыбкой.

Войдя домой, я прислонилась спиной к двери, посмотрела на Льва, который валялся в кресле перед телевизором и храпел, как забулдыга, и, не веря себе, подумала: впервые в жизни у меня появился друг.

16. И ТОГДА...

И тогда — летний дождь.

17. НОВОЕ СЕРДЦЕ

Незабываемый летний дождь.

Вот мы идем-идем по жизни, как по длинному коридору.

Надо купить кошачий корм... вы не видели мой самокат, опять его украли, в третий раз... а ливень-то — темно, как ночью... сеанс ровно в час, мы как раз успеваем... сними пальто... чашечку крепкого чая... вечернее затишье... может, все мы больны, оттого что у нас слишком много всего... и каждого надо подмазать... дурехи корчат из себя бесстыдниц... смотри-ка, снег пошел... а эти цветы... как они называются... бедная девочка мочилась где попало... осеннее небо — какая тоска... дни стали такие короткие...

почему мусор воняет на весь двор... всему свое время... я не очень-то с ними водилась... обыкновенная семья... как азуки... мой сын говорит, что все кютайцы страшно привередливые... как зовут его кошек... вы не могли бы получить пакеты из химчистки... как надоело, каждый раз одно и то же: рождественская суматоха, песенки, подарки... хоть корочку, да на красивом блюде... у него капля на носу... еще нет десяти, а такая жара... бросаю

244

в супчик меленько нарезанные шампиньоны, и мы едим вдвоем... да еще выгребай ее грязные трусы из-под кровати... хорошо бы сменить обои...

И вдруг — летний дождь...

Знаете ли вы, что это такое — летний дождь?

Это когда летнее небо взрывается чистейшей красотой и благоговейный страх охватывает душу — ей страшно чувствовать себя столь малой посреди божественной стихии, столь хрупкой, пораженной величием происходящего, ошеломленной, зачарованной и восхищенной этой вселенской мощью.

Это когда идешь-идешь по коридору и попадаешь в комнату, залитую светом. Как бы в другое измерение, с другими, вдруг постигнутыми по наитию законами. И больше нет телесной оболочки, взмывает в поднебесье дух, проникается силой воды, и в этом новом рождении грядут счастливые дни.

Наконец, летний дождь подобен очистительным слезам, обильным, крупным, бурным, уносящим с собою смуту; он выметает пыль и затхлость, освежает нас живительным дыханием.

А иной раз летний дождь проникает в нас так глубоко, что бьется в груди, точно новое сердце, в унисон с нашим прежним.

18. СЛАДКАЯ БЕССОННИЦА

После двух часов сладкой бессонницы я неза-
метно засыпаю.

Глубокая мысль № 13

Кто может делать мед,
Не разделяя
Участи пчел?

Каждый день я думаю, что моя сестрица уже не может стать подлее, чем есть, и каждый день убеждаюсь в обратном.

Сегодня, когда я пришла из школы, дома никого не было. Я взяла на кухне плитку шоколада с орехами и пошла с ней в гостиную. Устроилась на диване, сижу, грызу шоколад и обдумываю следующую глубокую мысль. По идее она должна была быть о шоколаде, точнее, о том, как его едят, а главный вопрос: что нам нравится в шоколаде? Его вкус или хруст?

Я собиралась без помех провести этот любопытный эксперимент, но не тут-то было: явилась, почему-то раньше времени, Коломба и тут же накинулась на меня со своей Италией. Ни о чем другом она не говорит с тех пор, как побывала в Венеции (отель «Даниели») с родителями Тибера. Да еще, на беду, в субботу они съездили в гости к друзьям Гренпаров, в их тосканское имение. От одного слова «Тооскана!» (с придыханием) Коломба так и обмирает, и мама вместе с ней закатывает глазки. Тоскана, чтоб вы знали, это вовсе не земля с двухтысячелетней историей. Существует она лишь затем, чтобы такие, как мать или Гренпары, испытывали пароксизм обладания. «Тооскана» им принадлежит, так же как Культура, Искусство и вообще все, что пишется с прописной буквы.

Я уже не единожды имела счастье получить полный набор тоосканских штампованных восторгов: ослики, оливковое масло, закаты, дольче вита и все прочее. Но каждый раз тихонечко линяла во время этих излияний, и Коломбе до сих пор не удавалось испытать на мне свою любимую историю. Поэтому, застав меня на диване, она решила наверстать упущенное и все мне испортила: и дегустацию, и полуфабрикат глубокой мысли.

В имении друзей родителей Тибера есть пасека, которая дает до ста килограммов меда в год. Эти тосканские помещики наняли пасечника, который делает всю работу, а сами продают мед с этикеткой «Поместье Флибаджи». Разумеется, не ради денег. Просто мед «Поместье Флибаджи» считается одним из лучших в мире, и это поднимает престиж владельцев-рантье: знаменитые повара из знаменитых ресторанов употребляют этот мед для знаменитых блюд. Коломбу, Тибера и его родителей пригласили на дегустацию разных сортов — мед дегустируют, как вина, — и вот она завела бесконечную песню о том, чем тминный мед отличается от розмаринового. Что ж, на здоровье. До этого места я слушала ее вполуха, одновременно размышляя о хрусте шоколада, и надеялась, что если этим дело ограничится, то я дешево отделаюсь.

Но когда имеешь дело с Коломбой, не стоит обольщаться. Она вдруг вытаращила глаза и принялась рассуждать о брачном поведении пчел. Похоже, им там прочитали целую лекцию на эту тему, и куцый умишко Коломбы потряс рассказ о пчелиных царицах и трутнях. Фантастическая организация улья — вот уж что, по-моему, действительно достойно восхищения, особенно если вспомнить о довольно сложном языке, на котором общаются между собою эти насекомые и само наличие которого заставляет усомниться в том, что словесное мышление присуще только человеку, — Коломбу ничуть не впечатлила. Это ей неинтересно, хоть, между прочим, она учится не на курсах сантехников, а в университете и пишет диплом по философии. Зато половая жизнь этих букашек ее безумно взволновала.

Вкратце дело сводится к следующему: когда пчелиная матка готова к размножению, она совершает брачный вылет, и ее сопровождает свита трутней. Первый трутень, который ее догоняет, совокупляется с ней и тут же погибает, потому что его половой орган остается в теле матки. А без него он нежизнеспособен. Следующий трутень должен сначала вытащить из полового отверстия матки орган своего предшественника, а потом с ним происходит то же самое. Так повторяется раз десять-пятнадцать, пока в половых путях матки не набирается достаточно семени, чтобы она еще лет пять могла откладывать по двести тысяч яиц в год.

Все это Коломба пересказывает мне с возбужденным видом и подкидывает для остроты сальные шуточки в таком вот роде: «Раз ей отпущен один-единственный разок, так уж она прихватывает штук пятнадцать!» Будь я Тибер, мне бы не очень понравилось, что моя девушка направо и налево повторяет вот такое. Не надо быть большим психологом, чтоб догадаться: если девица с блеском в глазах рассказывает про самку, которой для удовлетворения нужно полтора десятка самцов и которая в благодарность их всех кастрирует и убивает, то это кое-что значит. Сама Коломба уверена, что выглядит при этом современной-девушкой-без-комплексов-которая-свободно-говорит-на-темы-секса. Но забывает, что мне-то она рассказывает эту далеко не невинную историю исключительно для того, чтобы меня смутить. Только, с одной стороны, для того, кто, как я, считает человека животным, секс — не какая-то неприличная материя, а предмет научного рассмотрения. К тому же очень увлекательный. А с другой, кто, как не Коломба, сто раз в день моет руки и поднимает крик, если ей вдруг почудится в душе невидимый волосок (шанс обнаружить видимый ничтожно мал). Мне почему-то кажется, что это как-то связано с гиперсексуальными пчелиными матками.

Нет ничего нелепее представления людей о природе и о том, что на них ее законы не распространяются. Ведь Коломба потому смакует эту пчелиную историю, что считает, будто ее она не касается. И потому хихикает над фатальными играми трутней, что ей, она уверена, их участь не грозит. Я же не вижу ничего фривольного и ничего шокирующего в брачном вылете матки и в судьбе трутней, поскольку чувствую глубинное родство с этими насекомыми, несмотря на всю разницу в образе жизни. Жить, добывать себе пищу, произвести на свет потомство, проделать все, ради чего мы были рождены, и умереть — полнейшая бессмыслица, согласна, но именно таков порядок вещей. А люди заносчиво полагают, что могут пересилить природу, уйти от назначенного им, бедным биологическим существам, удела, будучи слепы к жестокости и грубости, из которых состоит их жизнь, их любовь, их деторождение и братоубийственные войны.

Я думаю, единственное, что нам остается делать, — это постараться найти дело, для которого мы родились, и выполнить его в меру своих сил, ничего не усложняя и не веря в сказки о божественном начале в нашем животном естестве. Только тогда смерть застанет нас за толковым занятием. Свобода, выбор, воля — все это химеры. Мы воображаем, будто можно делать мед, не разделяя участи пчел; но это не так: мы такие же бедные пчелы, которым надлежит исполнить то, что должно, и потом умереть.

Палома

1. ПРОЗОРЛИВЫЕ

В семь утра позвонили в дверь.

Я не сразу очнулась. Два часа сна не способствуют человеколюбию, а настойчивые звонки, не умолкавшие все время, пока я натягивала платье, влезала в тапочки и приглаживала рукой непривычно взбитые волосы, тем более не прибавили мне альтруизма.

Я открыла дверь — на пороге стояла Коломба Жосс.

— Вы что, застряли в пробке? — сказала она.

Я не поверила своим ушам.

— Сейчас семь часов.

Коломба спокойно смотрела на меня:

— Да. Ну и что?

— Привратницкая открывается в восемь, — сказала я, с большим трудом подавляя раздражение.

— Как это — в восемь? — возмутилась Коломба. — Разве есть какие-то часы работы?

Нет, комната консьержки все равно что храм Божий, где не действуют ни социальный прогресс, ни трудовое законодательство!

— Есть, — только и смогла я из себя выжать.

— А-а! — сказала она ленивым голосом. — Ну, раз уж я пришла...

— ...вы зайдете попозже, — сказала я, захлопнула дверь у нее перед носом и пошла ставить чайник.

Сквозь застекленную дверь мне было слышно, как она взвизгнула: «Ну, знаете, это уж слишком!» — потом в бешенстве повернулась и ткнула кнопку вызова лифта.

Коломба — старшая дочка Жоссов. Длинная, белокурая, одевается, как нищая цыганка. Терпеть не могу эту извращенческую прихоть богатых одеваться, как бедные люди: в обвислые балахоны, серые холщовые шапочки, грубые ботинки, бесформенные свитеры поверх рубашки в цветочек. Это не только уродливо, но еще и оскорбительно: самое худшее презрение — это презрение богатых к вкусам бедняков.

К несчастью, Коломба отлично учится. Осенью поступила в Высшую школу на философский факультет.

Я заварила чай, намазала сухарики вареньем из мирабели, стараясь, чтобы руки не тряслись от злости, а голова меж тем медленно, но верно наливалась болью. Все еще взвинченная, я приняла душ, оделась, оделила Льва его омерзительными лакомствами (куском студня из головизны и липкими остатками свиной кожи), вышла во двор, выкатила мусорный бак на улицу, выгнала Нептуна из мусорного чулана и в восемь часов, запыхавшись от всей этой возни, но нисколько не успокоившись, вернулась на кухню.

У Жоссов есть еще младшая дочка Палома, такая скромная и незаметная, что я ее, кажется, никогда не вижу, хоть она каждый день ходит в школу. Ее-то ровно в восемь Коломба прислала ко мне вместо себя.

Трусливая уловка.

Бедная девочка (сколько ей лет? одиннадцать? двенадцать?) навытяжку стояла на коврике у порога. Я глубоко вздохнула — не дай бог перенести гнев против старшей сестры на невинную голову младшей — и попыталась любезно улыбнуться.

— Здравствуй, Палома.

Девочка нерешительно теребила розовый жилетик.

— Здравствуйте, — сказала она тонким голоском.

Я вгляделась в ее лицо. Как же я раньше не замечала? Есть дети, наделенные редким даром обескураживать взрослых. Они держатся совсем не так, как ждешь от ребенка. Они какие-то слишком серьезные, обстоятельные, невозмутимые и в то же время удивительно прозорливые. Да, именно прозорливые. Присмотревшись к Паломе, я нашла в ней явственные признаки холодного ума и острой проницательности, которые, верно, потому принимала за простую сдержанность, что не могла себе представить, чтобы сестра дуры Коломбы оказалась судьей человеческого рода.

— Коломба просила меня передать вам, что ей должны принести очень важные бумаги, — сказала Палома.

— Хорошо, — ответила я, стараясь не сбиться на сладкий тон, каким обычно взрослые разговаривают с детьми, это, пожалуй, так же оскорбительно, как манера богачей одеваться простецки.

— Она спрашивает, не можете ли вы принести конверт нам домой.

255

— Я принесу.

— Спасибо, — сказала Палома, но не ушла. Интересно.

Она спокойно стояла, опустив руки и чуть приоткрыв рот, стояла и не двигалась. Аккуратные косички, очки в розовой оправе и очень большие светлые глаза.

— Хочешь чашечку какао? — сказала я единственное, что пришло в голову.

Она кивнула, все так же бесстрастно.

— Тогда заходи. Я как раз пью чай.

Дверь я оставила открытой настежь, чтоб никто не мог сказать, будто я похитила ребенка.

— Я предпочла бы тоже чаю, если вас не затруднит, — попросила Палома.

— Пожалуйста. — Я слегка удивилась и подумала: все одно к одному — судья человеческого рода, изысканные выражения, любит чай.

Палома села на стул и, пока я наливала ей жасминовый чай, болтала ногами и пристально глядела на меня. Я придвинула ей чашку и тоже села за стол.

— Сестра считает меня идиоткой, вот и приходится выполнять такие поручения, — сказала девочка, со вкусом, как настоящий ценитель, отхлебнув большой глоток чаю. — Сама она по вечерам в компании приятелей пьет, курит и разговаривает на сленге подростков из предместья, потому что уверена, что никому и в голову не придет усомниться в ее интеллекте.

Что ж, очень в духе моды а-ля бомж.

— А поскольку она не только дрянь, но еще и трусиха, то прислала меня. — Палома все так же не сводила с меня своих больших ясных глаз.

— Что ж, это дало нам возможность познакомиться поближе, — вежливо сказала я.

— А можно я приду еще? — спросила она, и в ее голосе мне послышалось что-то жалобное.

— Конечно, — ответила я, — приходи, когда захочешь. Правда, боюсь, тебе будет скучно. Тут у меня нет никаких развлечений.

— Да мне как раз и нужно посидеть спокойно! — воскликнула она.

— А дома, в своей комнате, ты не можешь посидеть спокойно?

— Нет. Когда все знают, где я, спокойно посидеть нельзя. Раньше я пряталась. Но теперь все мои укрытия известны.

— Сюда ведь тоже постоянно кто-то заходит. Я не уверена, что тебе тут будет спокойно думаться.

— Я могла бы устроиться вон там. — Она показала на кресло перед включенным на минимальный звук телевизором. — Люди приходят к вам, мне они не будут мешать.

— Что ж, я согласна, — сказала я. — Но надо спросить разрешения у твоей мамы.

В открытую дверь заглянула Мануэла — она заступает на работу в половине девятого — и уже открыла рот, чтобы что-то сказать, как вдруг увидела сидящую перед чашкой чая девочку.

— Заходите, — сказала я. — Мы с Паломой решили перекусить и поболтать.

Мануэла подняла бровь. По-португальски это должно означать: что она тут делает? Я легонько пожала плечами. Мануэла озадаченно поджала губы, но, изнывая от нетерпения, все же спросила:

— Ну как?

— Вы можете зайти попозже? — спросила я и весело улыбнулась.

— Ну-ну! — понимающе кивнула Мануэла, увидев эту улыбку. — Ладно, зайду потом, как обычно. — Она опять взглянула на Палому и прибавила: — Попозже. — И вежливо простилась: — До свидания, мадемуазель.

— До свидания, — ответила Палома и первый раз за все время улыбнулась, какой-то вялой, похожей на гримаску улыбкой, от которой у меня защемило сердце.

— Тебе пора домой, — сказала я. — А то родители будут беспокоиться.

Она встала, нехотя пошла к двери и прежде, чем выйти, сказала:

— Несомненно, вы очень умная. — И, не дождавшись ответа (я онемела от изумления), заключила: — Вы нашли отличное укрытие.

2. НЕВИДИМОЕ

Депеша, которую курьер принес для Ее Хамского Величества Коломбы, была открыта.

Конверт и не думали заклеивать, даже белую защитную полоску с клапана не сняли. Раззявленный, как старый драный ботинок, он оставлял на виду скрепленную спиралью рукопись.

Почему отправитель не потрудился запечатать пакет? По моему разумению, причиной послужила не столько вера в порядочность курьеров и консьержек, сколько уверенность в том, что содержимое их не заинтересует.

Первый раз в жизни, клянусь всеми богами и покорнейше прошу принять во внимание обстоятельства (бессонная ночь, летний дождь, Палома и т. д.), я сделала такое. Осторожно достала из конверта рукопись.

Коломба Жосс. «Аргумент potentia dei absoluta». Дипломная работа. Научный руководитель — профессор Мариан. Университет Париж I — Сорбонна.

К обложке прикреплена записка:

Дорогая Коломба Жосс!

Вот мои замечания. Благодарю за курьера. Увидимся завтра в Сольшуар.

Ваш Ж. Мариан.

Из вступления явствует, что работа посвящена средневековой философии. А точнее, Уильяму Оккаму, францисканскому монаху-логику XIV века. Ну а Сольшуар — это библиотека «богословских и философских наук», ее держат доминиканцы, и находится она в Тринадцатом округе. Там обширный фонд средневековой литературы, в том числе, если не ошибаюсь, полное пятнадцатитомное собрание Уильяма Оккама на латыни. Откуда я знаю? Да я туда ходила несколько лет тому назад. Зачем? Просто так. Увидела на карте Парижа эту библиотеку, как было сказано, доступную для всех, и решила ознакомиться — для коллекции. Народу в залах негусто, все, кого я видела, — это либо ученые мужи преклонных лет, либо студенты-умники. Однажды я разговорилась там с одним дипломником, который писал работу по греческой патристике, смотрела на него и все удивлялась, как можно тратить молодые годы на изучение таких отвлеченных предметов. И в самом деле, по сравнению с тем, что является самым существенным для всех приматов, — вопросами секса, иерархии и территории, — рассуждения о смысле молитвы у Августина Гиппонского выглядят совершенной ерундой. Мне возразят, что человеку свойственно искать смысл, выходящий за рамки естественных потребностей. А я отвечу, что это верно (иначе не было бы литературы) и совсем не верно: ведь стремление к смыслу — это тоже потребность, я бы сказала даже, высшая из всех потребностей, поскольку прибегает для своего удовлетворения к наиболее действенному средству, то есть к разуму. Поиски смысла и красоты — вовсе не признак того, что человек выше животных и, в отличие от животных, видит целью своей жизни просветление духа; нет, это лучшее оружие для удовлетворения вполне обыденных и материальных нужд. Другое дело, что в силу особого устройства нервных связей, действительно присущего лишь человеку, мы придаем оружию самодовлеющую ценность, и потому разум, это совершеннейшее средство выживания, еще и позволяет нам производить сложные построения на пустом месте, порождать лишенные практического значения мысли и ничему не служащую красоту. Это своего рода сбой, незначительное следствие тонкой организации коры головного мозга, нефункциональная аномалия, попусту расходующая важные ресурсы.

Если же упомянутые поиски не носят совсем уж бредовый характер, то они действительно связаны с необходимостью, которая нисколько не противоречит животной природе. Литература, например, играет вполне прагматическую роль. Как и все другие виды искусства, она призвана сделать более приемлемым отправление наших жизненно важных функций. Люди формируют свою судьбу, размышляя о мире и о себе самом, и то, что мы постигаем таким путем, невыносимо, как любая голая правда. Нам ведомо, что мы не боги, созидающие мир силой собственной мысли, а всего лишь животные, наделенные средством *выживания*, и нам нужно что-нибудь такое, что делало бы эту истину не слишком горькой и защищало от бесконечной, жалкой канители, на которую обречены живые организмы.

И вот мы изобретаем искусство, еще одно средство выживания нашего биологического вида.

Истине ближе всего простота — вот урок, который Коломбе Жосс следовало бы извлечь из средневековых штудий. Но ей они, похоже, послужили всего лишь поводом для заумной и пустопорожней болтовни. В результате — бесполезная словесная стружка и к тому же беззастенчивое злоупотребление людскими ресурсами, в том числе трудом курьера и моим.

Я пробежала глазами весьма скупо снабженные замечаниями страницы того, что, видимо, было окончательным вариантом работы, и пришла в уныние. Нельзя, конечно, не признать, перо у нашей барышни довольно легкое, хоть пока не очень опытное. Но как подумаешь, что рядовые налогоплательщики должны тянуть из себя жилы и оплачивать своим потом такую вот высокопарную галиматью, право, становится дурно. Рабочий люд, мелкие чиновники и служащие, секретарши, шоферы такси и консьержки встают чуть свет и впрягаются в свою лямку, ради того чтобы цвет французской молодежи, живущий в роскошных квартирах и недурно обеспеченный, расходовал то, что они зарабатывают, недосыпая ночей, на нелепые разглагольствования.

Впрочем, сам по себе предмет исследования страшно интересный. Ведь Оккам, насколько я знаю, всю свою жизнь искал ответа на вопрос: «Существуют ли в реальности универсалии или только единичные вещи?» На мой взгляд, это потрясающая дилемма: либо каждая вещь представляет собой нечто самостоятельное и индивидуальное — в этом случае сходство одной вещи с другой — всего лишь иллюзия или словесный знак, — либо действительно, а не только в языке, существуют некие общие формы, включающие в себя единичные вещи. Что подразумеваем мы, когда говорим «стол» и представляем себе стол: всегда обозначаем какой-то конкретный, именно этот стол или апеллируем к *реально* существующему универсальному понятию стола, определяющему существование всех единичных столов на свете? Существует ли *идея* стола в реальности, или это порождение нашего рассудка? Но тогда почему некоторые предметы сходны между собой? Язык искусственно объединяет их в общие категории для удобства общения или же все специфические формы суть проявления единой универсальной?

По Оккаму, реальны лишь единичные вещи, а существование универсалий — заблуждение. Мир состоит из обособленных предметов, все обобщения содержатся лишь в уме, и предполагать реальность общих понятий значит излишне усложнять то, что объясняется просто. Но так ли это? О какой созвучности Рафаэля и Вермеера размышляла я не далее как вчера вечером? В полотнах обоих художников наш глаз распознает некую единую форму, которой они причастны, форму Прекрасного. И лично я убеждена, что эта форма — подлинная реальность, а вовсе не прием нашего ума, который все классифицирует, чтобы легче понимать, и различает, чтобы воспринимать, ибо классифицировать можно только то, что классифицируется, распределять — только то, что распределяется, объединять — только то, что поддается объединению. Стол никогда не станет «Видом Дельфта», и различие между ними невозможно выдумать, точно так же, как не измыслишь нарочно глубинное сходство, роднящее голландский натюрморт и итальянскую Мадонну с Младенцем. Каждый стол принадлежит некой сущности, которая придает ему форму, и каждое произведение искусства принадлежит универсальной форме, она, и лишь она накладывает на него особую печать. Конечно, мы не можем воспринимать универсалии непосредственно, потому-то многие философы отказывались считать эти сущности реальными: ведь я всегда вижу именно вот этот стол, а не универсальную идею стола, или вон ту картину, а не чистую суть прекрасного. И все же... все же она тут, у нас перед глазами: каждая картина голландских мастеров являет собою ее воплощение, ее ослепительное сияние, которое доступно нам лишь в частном виде, но позволяет прикоснуться к вечности, к вневременной, божественной форме.

Вечность невидима, но мы на нее смотрим.

3. ВЕЛИКИЙ КРЕСТОВЫЙ ПОХОД

И что же вы думаете, все это интересует нашу соискательницу философских лавров?

Ничуть не бывало.

Коломба Жосс не имеет никакого отчетливого представления о прекрасном и о сущности столов, она исследует теологические взгляды Оккама при помощи вздорных семантических выкрутасов. А самое замечательное в этой затее — ее изначальная установка: считать философские положения Оккама следствием его концепции всесилия Бога, как будто его философские труды, которым отдано столько лет жизни, всего лишь второстепенное ответвление богословской мысли. От такого беспардонного подхода в голове мутится, как от дрянного вина, зато он весьма показателен для университетской кухни: если хочешь сделать научную карьеру, возьми какой-нибудь малоисследованный текст поэкзотичней и помаргинальней (к примеру, «Сумму логики» Уильяма Оккама), изврати его явный смысл, раскопай в нем идею, которая самому автору и не снилась (известно же, что подсознательное куда важнее для интерпретации, чем осознанное намерение), перекрои его так, чтобы он подошел под твой оригинальный тезис (будто бы логический анализ основан на учении о всемогуществе Господнем и никак не подкреплен философскими предпосылками), сожги попутно все свои иконы (атеизм, культ разума против культа веры, здравомыслие и прочие штучки, любезные сердцам социалистов), посвяти целый год этой гнусной забаве, паразитируя на рядовых членах общества, которых ты будишь в семь часов утра, и посылай курьера к своему научному руководителю.

Зачем нужно образование, если не для служения? Служения, а не рабской службы, которой так кичатся чиновные лакеи государства, вменяя ее себе в добродетель: смирение в такой службе лишь показное, на деле же — одно честолюбие и спесь. Наблюдая Этьена де Брольи, который каждое утро напускает на себя подчеркнуто скромный вид вельможного слуги, я давно поняла, как велика гордыня этой касты. Нет, все должно быть наоборот: привилегированное положение по-настоящему обязывает. Если ты принадлежишь к узкому, закрытому для посторонних кругу элиты, то должен посвятить себя служению тем больше, чем больший почет и материальную стабильность тебе дает такая принадлежность. Будь я Коломба Жосс, студентка престижной высшей школы с блестящими перспективами, моим долгом было бы думать о прогрессе, о кардинальных вопросах выживания, благосостояния или совершенствования человечества, заботиться о приумножении прекрасного в мире или затевать великий крестовый поход в защиту подлинной философии. Тут нет строгого устава, выбор неограничен, поле деятельности обширно. Философия — не семинария, куда приходят, вооружившись символом веры, как мечом, и поклявшись следовать единственным путем, как дорогой судьбы. Хотите изучать Платона, Эпикура, Декарта, Спинозу, Канта, Гегеля или хоть Гуссерля? Заниматься эстетикой, политикой, моралью, эпистемологией, метафизикой? Преподаванием, исследованием, культурой, написанием собственных сочинений? Пожалуйста. Важно одно: какова ваша цель? Развивать философскую мысль, способствуя общественному благу, или же погрузиться в схоластику, которая печется лишь о непрерывном самовоспроизведении и задача которой — воспитывать все новые и новые поколения бесплодной элиты, благодаря чему университет превращается в секту.

Глубокая мысль № 14

Сходи к Анжелине —
Поймешь, почему
Сжигают автомобили!

Сегодня произошло нечто необычайное! Я зашла к мадам Мишель попросить, чтобы она принесла нам домой пакет, который курьер должен доставить для Коломбы. Это ее диплом о Уильяме Оккаме, первый вариант. Руководитель его прочитал и вот теперь возвращал со своими пометками. Самое смешное, что сначала мадам Мишель выставила Коломбу, когда та явилась с этой просьбой и позвонила в дверь аж в семь часов утра. Наверное, здорово ее отшила (привратницкая открывается в восемь) — сестрица прискакала злая, как мегера, и давай вопить: консьержка — мерзкая старая дура, да что она себе позволяет, а?! Мама вдруг вспомнила, что в развитой цивилизованной стране действительно не принято беспокоить консьержек в любое время дня и ночи (лучше бы вспомнила раньше, пока Коломба еще не отправилась на первый этаж), но Коломба не унималась и продолжала визг: если даже она по ошибке пришла раньше времени, это еще не значит, что всякая шваль имеет право захлопывать дверь у нее перед носом. Мама промолчала. А я, будь Коломба моей дочерью, влепила бы ей пару оплеух.

Через десять минут сестрица зашла ко мне с медоточивой улыбкой. Вот уж от чего меня воротит. Лучше бы она на меня кричала. «Палома, миленькая, можешь кое-что для меня сделать?» — проворковала она. «Нет», — ответила я. Коломба тяжело вздохнула, явно жалея, что я не ее рабыня — тогда она велела бы меня выпороть и ей бы полегчало, а так изволь терпеть эту сопливку! «Давай услуга за услугу», — предложила я. «Да ты даже не знаешь, о чем я хочу попросить!» — фыркнула Коломба. «Ты хочешь, чтобы я сходила к мадам Мишель», — сказала я. Сестрица так и села. Она настолько привыкла рассказывать всем, какая я кретинка, что в конце концов сама в это поверила. «Ладно, я схожу, а ты за это целый месяц не будешь врубать у себя музыку на всю катушку». — «Неделю», — возразила Коломба. — «Тогда я не пойду». — «Ну хорошо, — согласилась она. — Скажи этой старой мымре, чтобы принесла мне пакет от Мариана, как только его доставят». И выскочила из комнаты, хлопнув дверью.

Вот я и пошла к мадам Мишель, а она пригласила меня попить чаю.

Пока что я ее проверяю. Сама же все больше помалкиваю. Мадам Мишель посмотрела на меня так, как будто первый раз увидела. Про Коломбу она ничего не сказала. Обычная консьержка обязательно проворчала бы: «Ладно. Но что касается вашей сестры, пусть не думает, что ей все можно». Или что-нибудь в таком духе. Мадам Мишель вместо этого предложила мне чашку чаю и говорила со мной очень вежливо, как со взрослой.

В привратницкой был включен телевизор. Но она его не смотрела. Показывали, как парни из пригородов поджигают автомобили. Глядя на них, я подумала: что может толкнуть мальчишку на то, чтобы поджечь автомобиль? Что творится у него в голове? И тут же у меня мелькнула мысль: ну а я-то? Почему я собираюсь поджечь квартиру? Журналисты говорили о безработице и нищете, я говорю об эгоизме и притворстве моих родных. Но это все чушь. Нищета, безработица и отвратительные семьи были всегда. А автомобили или квартиры поджигают все-таки не каждый день. Так что настоящие причины не в этом. Почему же поджигают автомобили? Почему я хочу поджечь квартиру?

Я не находила ответа на этот вопрос, до тех пор пока мы с маминой сестрой тетей Элен и ее дочкой Софи не отправились покупать подарок маме — в воскресенье у нее день рождения. Мы сказали, что идем вместе в музей Даппера, а вместо этого обошли множество лавок художественных изделий во Втором и Восьмом округе. Тетя Элен хотела купить маме чехол для зонтика, а я — подобрать подарок от себя.

Поискам чехла, казалось, конца не будет. Они заняли три часа, хотя, на мой взгляд, все, что мы видели, были совершенно одинаковые: или обыкновенные длинные футляры, или такие штуковины с металлическими накладками под старину. И все чудовищно дорогие. Чтобы какой-то зонтичный чехол мог стоить двести девяносто девять евро — это как, по-вашему, ничего? Именно столько тетя Элен заплатила за стильную вещицу из «состаренной кожи» (проще говоря, потертой железной щеткой), прошитую крупными, как на конской сбруе, стежками, — можно подумать, у нас не дом, а конюшня. Я же нашла в одной азиатской лавке черную лаковую коробочку для снотворных. За тридцать евро. По-моему, и это слишком дорого, но тетя Элен спросила, не хочу ли я прибавить что-нибудь еще к такой мелочи. Тетин муж врач-гастроэнтеролог, а это, будьте уверены, специальность довольно прибыльная. Но я все равно люблю их обоих — ее и дядю Клода, — потому что они... не знаю, как сказать... какие-то, что ли, цельные. Довольны своей жизнью и не пытаются казаться не такими, какие они на самом деле. И потом — у них есть Софи. Софи родилась с синдромом Дауна. Я не считаю нужным умиляться перед такими людьми, как делают все у нас в семье (даже Коломба). Принято говорить, что они хоть и больные, зато такие ласковые, такие привязчивые, такие трогательные! Лично я не вижу ничего приятного в общении с Софи: она кричит, пускает слюни, капризничает и ничего не понимает. Но это не мешает мне восхищаться тетей Элен и дядей Клодом. Они и сами признают, что с Софи тяжело и что иметь такого ребенка — настоящее несчастье, но они ее любят и, по-моему, очень хорошо с ней обращаются. За это и еще за цельность натуры я их и люблю. По сравнению с мамой, которая изображает из себя развязную современную женщину, или с Жасентой Розен, которая изображает даму буржуазного происхождения, тетя Элен, которая никого и ничего не изображает и довольна тем, что имеет, выглядит просто здорово.

Короче говоря, когда эпопея с чехлом для зонтика завершилась, мы зашли в кондитерскую «Анжелина» выпить горячего шоколада с пирожными. Вы скажете: уж тут-то точно нет ничего общего с поджигателями из бедных пригородов. А вот, представьте себе, есть! Как раз у Анжелины я увидела то, что помогло мне многое понять. За соседним столиком сидела пара с маленьким ребенком. Оба белые, а малыш — его зовут Тео — явно азиатской внешности. Тетя Элен и эта пара прониклись друг к другу симпатией и познакомились. Симпатия, конечно, возникла оттого, что и у нее, и у них необычные дети, именно поэтому они друг друга приметили и разговорились. Оказалось, Тео привезли из Таиланда и усыновили, когда ему было полтора года, а его настоящие родители, братья и сестры погибли по время цунами. Я глядела по сторонам и думала: как он будет жить? Вот мы сидим у Анжелины, вокруг хорошо одетые господа деликатно лакомятся пирожными за бешеные деньги, и все они здесь только потому, что... ну, потому что это такое значимое место: зайдя сюда, ты демонстрируешь принадлежность к определенному кругу, с определенными ритуалами, кодами, традициями и перспективами. Это, так сказать, символическое действо. Чай у Анжелины — это Франция, Париж, жестко регламентированное высшее общество, где царит культ рационализма, картезианства, цивилизации. Как будет жить тут маленький Тео? Первые месяцы своей жизни он провел на Востоке, в тайском рыбачьем поселке, в мире органичных ценностей и эмоций, где символическая принадлежность имеет значение разве что на деревенском празднике в честь бога дождя, когда над детьми совершают какие-нибудь магические обливания. А теперь он во Франции, в Париже, у Анжелины, внезапно перенесенный в другую культуру и оказавшись в положении, диаметрально противоположном прежнему: из Азии в Европу, из среды бедняков в среду богачей.

И мне вдруг пришло в голову: когда Тео вырастет, ему, может быть, захочется поджигать автомобили. Потому что это жест отчаяния и гнева, а самый сильный гнев и самое ужасное отчаяние рождаются не от бедности, безработицы или неуверенности в будущем, а оттого, что ты оказался вне всякой культуры, ты разрываешься между двумя разными культурами, с разными, несовместимыми друг с другом символами. Как жить, если ты не можешь понять, где твое место? Если тебе приходится одновременно усваивать культурные нормы тайских рыбаков и парижских буржуа? Оставаться сыном иммигрантов и стать членом давно сложившейся консервативной нации? Тогда и начинают поджигать автомобили — потому что человек, у которого нет культуры, перестает быть цивилизованным животным и превращается в дикого зверя. А дикий зверь грабит, убивает, поджигает.

В этих рассуждениях нет никакой особой глубины, я понимаю, но по-настоящему глубокая мысль явилась у меня потом, когда я снова задумалась: ну а я? В чем моя культурная проблема? Между какими несовместимыми верованиями я разрываюсь? Что превращает меня в дикого зверя?

Тут-то меня и осенило: я вспомнила мамины священнодействия над домашними растениями, мании и фобии Коломбы, папины терзания по поводу того, что бабушка живет в доме престарелых, и массу других подобных вещей. Мама верит в то, что можно заклинать судьбу при помощи пульверизатора, Коломба — что можно избавиться от неприятных чувств, бесконечно моя руки, а папа — что он будет наказан как плохой сын, из-за того что бросил свою мать; что это, как не магические, чуть ли не первобытные верования, но, в отличие от тайских рыбаков, мои папа с мамой и сестра не могут их усвоить, посколь-

ку они образованные-состоятельные-французы-рациона-
листы.

А я — главная жертва этой несостыковки, потому что
по неведомой причине обладаю гиперчувствительностью к
диссонансам, чем-то вроде абсолютного слуха на фальшь
и несообразность. Эту или любую другую. И мне все семейные верования, все это мультикультурное месиво чуждо.

Может, я — проявление семейных противоречий и,
значит, должна исчезнуть, чтобы все в семье было гладко?

4. ПЕРВАЯ ЗАПОВЕДЬ

Как раз к двум часам, когда Мануэла кончает убираться у де Брольи, я успела отнести рукопись Жоссам, снова сунув ее в конверт.

По этому случаю у нас с Соланж Жосс возник забавный разговор.

Для всех наших жильцов я тупая, ограниченная консьержка, и мое место на периферии возвышенной сферы их внимания. Соланж не исключение, но, поскольку муж у нее депутат от социалистов, она прилагает усилия, чтобы до меня снизойти.

— Добрый день, — поздоровалась она, открыв дверь, и взяла конверт, который я ей протянула.

Следующее усилие и новая реплика.

— Вы ведь знаете, Палома у нас весьма эксцентричная девочка.

Она взглянула на меня, чтобы убедиться, знакомо ли мне слово «эксцентричная». Я изобразила полнейшее безразличие, оно удобнее всего, так как не противоречит любым предположениям.

Соланж Жосс хоть и социалистка, но в людей не верит.

— Я хочу сказать, она с некоторыми странностями.

Мадам Жосс старательно выговорила эти слова, словно имела дело с глухонемой.

— Она очень милая, — подала реплику и я, решив сдобрить наш разговор капелькой человечности.

— Конечно, конечно, — скороговоркой ответила Соланж Жосс, явно досадуя, что тупость и темнота собеседницы мешают ей добраться до намеченной цели. — Она очень милая девочка, но ведет себя иногда очень странно. Например, обожает прятаться, исчезает иногда на несколько часов.

— Да, она мне говорила, — сообщила я.

По сравнению с тактикой глухонемоты такая игра была несколько рискованна. Но я не сомневалась, что смогу выдержать роль, не выдавая себя.

— Ах, она вам говорила? — переспросила Соланж Жосс несколько рассеянным тоном. Вопрос: что могла подумать эта консьержка, когда услышала признание Паломы? — поглотил все ее интеллектуальные способности, и лицо приобрело отсутствующее выражение.

— Да, она мне говорила, — повторила я.

Достойный и, я бы даже сказала, виртуозный по лаконизму ответ.

Позади Соланж Жосс я заметила Конституцию: толстуха, едва двигая лапами, важно плыла в нашу сторону.

— Кошка, — сказала Соланж Жосс. — Как бы не выбежала.

И она вышла на площадку, поплотнее прикрыв за собой дверь. Не выпустить кошку, не впустить консьержку — первая заповедь дам-социалисток.

— Одним словом, — вернулась она к прерванному разговору, — Палома мне сказала, что хотела бы иногда приходить к вам в привратницкую. Девочка любит помечтать, устроиться где-нибудь в уголке и тихонько посидеть. Честно говоря, я бы предпочла, чтобы она мечтала у себя дома.

— Ну-ну, — сказала я.

— Но иногда... Если вас это не потревожит... Так я, по крайней мере, буду знать, где она. А то мы просто с ума все сходим, ее разыскивая. У Коломбы занятий выше головы, и ей не очень хочется тратить драгоценное время на розыски сестры. — Она приоткрыла дверь и убедилась, что Конституция убралась восвояси. — Так что, если она вам не помешает... — Кажется, она уже думала о чем-то другом.

— Нет, — сказала я. — Не помешает.

— Вот и прекрасно, вот и прекрасно. — Мысли Соланж Жосс уже явно были заняты более срочным и важным предметом. — Спасибо, спасибо, очень мило с вашей стороны.

И она закрыла дверь.

5. ПОЛНАЯ ПРОТИВОПОЛОЖНОСТЬ

Разговор с мадам Жосс исчерпывал мои служебные обязанности, и я могла наконец немного подумать о своем. К воспоминаниям о вчерашнем вечере примешивалась какая-то горечь. Чудесный вкус арахиса, а рядом что-то тоскливое, безнадежное. Я решила отвлечься и отправилась поливать цветы на площадках. Это занятие — полная противоположность умственной деятельности.

Без одной минуты два появилась Мануэла и уставилась на меня с такой же жадностью, с какой Нептун поглядывает издали на кабачковые очистки.

— Ну что? — с порога осведомилась она и, не дожидаясь ответа, протянула мне плетеную корзиночку с мадленками.

— Мне придется опять обратиться к вам за помощью, — ответила я.

— Пра-а-авда? — отозвалась Мануэла, невольно растянув первый слог.

Я никогда не видела, чтобы она так волновалась.

— В воскресенье мы будем пить чай, а сладкое приношу я. Надо что-нибудь испечь.

— О! — обрадовалась Мануэла. — Это мы сделаем! — И тут же деловито добавила: — Нужно придумать что-то нечерствеющее.

Мануэла работает всю неделю, даже первая половина дня в субботу у нее занята.

— В пятницу вечером испеку вам глутоф, — объявила она секунду спустя.

Глутоф — это такой эльзасский кекс, обычно он довольно плотный и очень крошится.

Но глутоф Мануэлы — чудо из чудес. Она умеет превратить плотность и сухость в душистую рассыпчатость.

— А время у вас найдется? — спросила я.

— Конечно, — ответила она, сияя улыбкой, — на глутоф для вас у меня всегда найдется время.

И тогда я ей все рассказала: про то, как я пришла, про натюрморт, саке, про Моцарта, про гиоза и залу рамен, про Кити, про сестер Мунаката, в общем, про все.

Имей всего одну подругу, но настоящую.

— Вы просто прелесть, — вздохнула Мануэла, когда я кончила. — Тут у нас живут одни недоумки, а как появился настоящий джентльмен, сразу пригласил вас в гости.

Она сунула в рот мадленку.

— Х-ха! — воскликнула она вдруг. — Я испеку вам еще хворост, из теста на виски.

— Нет, нет, нет, — запротестовала я. — Ни в коем случае. У вас и без меня забот хватает. Достаточно будет... кекса.

— Забот? Да что вы такое говорите, Рене? От вас у меня одни радости.

Она на секунду задумалась, видно, что-то припомнила, и спросила:

— А что делала у вас Палома?

— Отдыхала от своих.

— Понятно! Бедная девочка! С такой сестрицей, как у нее...

Мануэла не питает нежных чувств к Коломбе и с удовольствием бы совершила маленькую культурную революцию, вышвырнув все ее шикарно драные одежки и отправив ее поработать в деревню.

— Младший Пальер стоит открыв рот, когда она проходит мимо, — прибавила Мануэла. — А она на него ноль внимания. Ему что, корзину для мусора на голову надеть, чтобы она его заметила? Вот были бы все барышни, как Олимпия!

— Да, Олимпия очень славная, — согласилась я.

— Славная и добрая. У Нептуна во вторник такие были *поносы*, а она его пожалела и лекарство дала.

Одного *поноса* Мануэле показалось мало.

— Да-да. Зато, спасибо Нептуну, теперь в вестибюле постелят новый ковер. Завтра привезут. Оно и к лучшему, старый уже очень был страшный.

— А знаете, — продолжала Мануэла, — платье вы можете оставить себе. Дочка той дамы сказала Марии: нам ничего не надо, оставьте все у себя. И Мария просила вам передать, что она дарит вам это платье.

— О! — воскликнула я. — С ее стороны это необыкновенно любезно, но я никак не могу принять такого подарка.

— Опять все снова-здорово! — недовольно пробурчала Мануэла. — Да и все равно вам придется

279

заплатить за чистку. Ничего себе пятнышко, как после *дворгии*.

Мануэла, наверное, хотела сказать: после оргии.

— Ну хорошо! Поблагодарите от меня Марию, скажите, что я растрогана до глубины души.

— Вот это другое дело, — просветлела Мануэла. — Конечно, я передам ей от вас большое спасибо.

Кто-то коротко постучал в дверь: тук-тук!

6. ХАБИСКОР ЕГОЗОН

Стучал Какуро Одзу.

— Добрый день, — поздоровался он, порывисто входя в привратницкую, и, заметив Мануэлу, поклонился ей. — Здравствуйте, мадам Лопес.

— Здравствуйте, месье Одзу, — чуть ли не выкрикнула она.

От радости, конечно. Мануэла очень эмоциональная.

— Мы пьем чай, — сказала я. — Не хотите ли присоединиться?

— Спасибо. С удовольствием, — отозвался Какуро и придвинул себе стул. Тут он заметил Льва. — О-о, какой котище! В прошлый раз я его не рассмотрел. Похоже, он у вас занимается сумо.

— Попробуйте мадленку, — предложила Мануэла и подвинула корзинку Какуро. — Они *ампельсиновые*.

Еще одно диковинное словечко.

— Спасибо, — поблагодарил Какуро и взял одну штучку. — Божественно! — одобрил он, проглотив кусочек.

От счастья Мануэла так и заерзала на стуле.

— Мы с приятелем поспорили, какая из европейских стран держит первенство в области культуры, — сказал Какуро после четвертой мадленки. — Я пришел узнать ваше мнение. — Он задорно подмигнул мне.

Мануэла разинула рот не хуже молодого Пальера, за которого только что заступалась.

— Приятель считает, что Англия, а я, конечно, за Францию. И я сказал ему, что знаю человека, который мог бы нас рассудить. Вы согласны?

— Да, но я пристрастный судья, — сказала я, — мой приговор не будет иметь силы.

— Нет-нет, — возразил Какуро. — Вам не придется выносить никакого приговора. Просто ответьте на мой вопрос: какие, по-вашему, два главных достижения французской и английской культуры? Сегодня мне очень повезло, мадам Лопес, я могу узнать и ваше мнение по этому поводу, если вы только захотите им поделиться, — прибавил он.

— Англичане, — очень уверенно начала Мануэла, но тут же остановилась и, верно вспомнив, что она всего лишь бедная португалка, осторожно сказала: — Нет, сначала вы, Рене.

Я на секунду задумалась.

— У французов — язык восемнадцатого века и мягкий сыр.

— А у англичан? — осведомился Какуро.

— Ну, тут и думать нечего! — заявила я.

— *Пуддингкх?* — предположила Мануэла, не пожалев согласных.

Какуро от души рассмеялся:

— Отлично, а еще?

— Еще, *рустбиф*, — сказала она, выговаривая так же старательно.

— Ха-ха-ха, — продолжал смеяться Какуро, — я с вами совершенно согласен, мадам Лопес. А что скажете вы, Рене?

— Habeas corpus[1] и газон, — сказала я, тоже смеясь.

Теперь мы хохотали все втроем, вместе с Мануэлой — ей послышалось «хабискор егозон», и эта бессмыслица ее страшно насмешила.

Опять постучали в дверь.

Просто с ума сойти, вчера до моих скромных апартаментов никому дела не было, а сегодня — нате, пожалуйста, центр вселенной.

— Войдите! — забывшись в пылу разговора, крикнула я.

В дверь заглянула Соланж Жосс.

Мы втроем вопросительно на нее посмотрели, словно были гостями на званом ужине, а плохо вышколенная прислуга посмела нарушить наш покой.

Соланж Жосс открыла было рот, но тут же его закрыла.

Еще одна голова, Паломы, просунулась пониже, где-то на уровне замочной скважины.

Я наконец-то опомнилась и встала.

Мадам Жосс тоже опомнилась и спросила:

— Могу я ненадолго оставить у вас Палому?

Было видно, что ее так и распирает любопытство.

— Добрый день, месье Одзу, — поздоровалась она.

— Добрый день, дорогая мадам Жосс, — любезно отозвался он, встал, подошел к ней и поздоровался за руку. — Здравствуй, Палома, очень рад тебя видеть. Не волнуйтесь, мадам, вы можете со спокойной душой доверить нам Палому.

---

[1] Закон о неприкосновенности личности, принятый английским парламентом в 1679 году.

Вот так одним махом и с величайшей учтивостью он распростился с мадам Жосс.

— Да... конечно... спасибо, — промямлила Соланж Жосс, медленно пятясь и все еще плохо соображая.

Как только она оказалась в холле, я закрыла дверь и спросила Палому:

— Хочешь чаю?

— Благодарю вас, охотно, — ответила она.

И каким ветром занесло принцессу к партийным деятелям?

Я налила ей полчашечки зеленого чая с жасмином, а Мануэла подвинула уцелевшие мадленки.

— А по-твоему, что хорошего изобрели англичане? — спросил Палому Какуро, не позабывший о споре с приятелем.

Палома задумалась не на шутку.

— Шляпу как символ твердолобости, — сообщила она.

— Великолепно, — одобрил Какуро.

Я поняла, что недооцениваю Палому, и решила присмотреться к ней еще внимательнее, но тут опять постучали, и мои мысли заторопились в другую сторону: я вспомнила, что судьба, как известно, трижды стучится в дверь и всех подпольщиков рано или поздно разоблачают.

Поль Н'Гиен, кажется, был первым человеком, который ничему не удивился.

— Здравствуйте, мадам Мишель, — сказал он. — Здравствуйте все.

— А мы, Поль, — сказал Какуро, — окончательно дискредитировали Англию.

Поль вежливо улыбнулся.

— Вот и хорошо, — произнес он. — Вам звонила ваша дочь. И через пять минут позвонит снова.

Он протянул Какуро мобильник.

— Спасибо, — поблагодарил его месье Одзу и встал. — К сожалению, мне нужно идти, милые дамы.

Он поклонился.

— До свидания, — отозвались мы в один голос, как хор благородных девиц.

— Ну вот, — сказала Мануэла, когда он ушел, — одно доброе дело сделано.

— Какое же? — не поняла я.

— Все мадленки съедены.

Мы рассмеялись.

Мануэла посмотрела на меня задумчиво, а потом улыбнулась и сказала:

— Правда, невероятно?

Конечно, правда.

У Рене теперь два друга, и она уже не так дичится.

Но в душе Рене, у которой теперь два друга, зашевелился смутный страх.

Мануэла попрощалась и ушла. Палома без церемоний устроилась в кошачьем кресле перед телевизором, подняла на меня свои большие серьезные глаза и спросила:

— Как вы думаете, в жизни есть смысл?

7. В СИНИХ ТОНАХ

Приемщица в чистке, когда я пришла туда в первый раз и принесла платье, была прямо-таки оскорблена.

— Такие пятна на таком дорогом платье, — процедила она, выдавая мне синего цвета квитанцию.

А сегодня утром я протянула синюю квитанцию уже другой приемщице. Помоложе и сонной-пресонной. Она долго передвигала туда и обратно вешалки, искала, смотрела и наконец дала мне чудное вишневое платье, запакованное в пластиковый мешок.

— Спасибо, — поблагодарила я и забрала у нее мешок после секундного колебания.

Теперь к списку совершенных мной преступлений можно прибавить еще одно — похищение чужого платья, взятого вместо другого, тоже мне не принадлежавшего и похищенного у покойницы. А самое постыдное то, сколь недолгой была заминка. И если бы еще я колебалась из-за угрызений совести, связанных с уважением к частной собственности, у меня оставалась бы надежда выпросить прощение у святого Петра, но секунда понадобилась мне просто на то, чтобы сообразить, как выгоден обмен.

Ровно в час пришла Мануэла и поставила на стол свой глутоф.

— Думала, приду пораньше, — сказала она, — но мадам де Брольи смотрела за мной *во все*.

То есть «во все глаза», но Мануэле казалось, что понятно и так.

Глутоф выглядел потрясающе — на облаке тонкой темно-синей бумаги возлежал румяный кекс в окружении фантастически тонких лепестков хвороста, до того тонких, что того и гляди рассыплются, и пухлых смуглых миндальных печений. Рот у меня при одном только взгляде на эту красоту наполнился слюной.

— Большое спасибо, Мануэла, — сказала я. — Но куда столько — на двоих!

— А вы начните прямо сейчас, — посоветовала она.

— Большое, большое вам спасибо, — повторила я. — Мне страшно подумать, сколько я отняла у вас времени.

— Ну-ну-ну, не переживайте, я замесила двойную порцию, так что Фернандо вам очень благодарен.

Дневник всемирного движения
Запись № 7

Этот сломанный стебель,
который для вас я хотела...

Уж не превращаюсь ли я в созерцательницу чистой красоты? С явным уклоном в дзен-буддизм. И чуточку в Ронсара.

Сейчас объясню. На этот раз движение было совершенно особенным, потому что не телесным. Одним словом, сегодня утром за завтраком я увидела движение. The движение. Высшую степень движения. Вчера (это был понедельник) мадам Гремон, наша приходящая прислуга, принесла маме букет роз. Она ездила на воскресенье к сестре в Сюрен, где у той маленький садик, и привезла оттуда первые в это лето розы — чайные, чудесного кремового цвета, какими бывают примулы. Мадам Гремон сказала, что называются они «The pilgrim» — «Пилигрим». Мне понравилось. Куда возвышеннее, поэтичнее и, уж во всяком случае, не так манерно, как «Мадам Фигаро» или «Любовь Пруста» (честное слово, не выдумываю). В том, что мадам Гремон дарит маме цветы, нет ничего удивительного. Типичные отношения прислуги и прогрессивной буржуазной дамы, потуги на патриархальность в розовых тонах (угощение чашечкой кофе, выплата денег без опозданий, ни единого выговора, сбагривание ношеной одежды и поломанной мебели, расспросы о детях, а в ответ букеты цветов и вязаные крючком светло- и темно-коричневые покрывала). Но таких роз, как эти, я еще не видала!

В общем, я сидела за столом, завтракала и смотрела на букет, который стоял на кухонном столе. Смотрела и ни о чем не думала. И может, именно благодаря этому увидела то самое движение. Будь я занята какой-то мыслью, будь в кухне не так тихо, будь я там не одна, я была бы более рассеянна. Но я была одна, совершенно спокойна и ничем не занята. И потому могла вобрать это движение в себя.

Сначала послышался легчайший шорох: воздух чуть завибрировал, до меня донеслось едва уловимое «шшш», и на поверхность стола упал отломившийся розовый бутон. В тот миг, когда он коснулся ее, послышалось «пф», почти на уровне ультразвука, доступного слуху разве что летучей мыши или человеческому, если вокруг тихо-тихо. Я застыла с ложкой в руке, завороженная. Это было великолепно. Но что, что именно? Я сама себя не понимала: ну, розовый бутон на надломленном стебле, он оторвался и упал на кухонный стол. И что тут такого?

Я подошла поближе — вот он, упавший бутон, лежит неподвижно, — и поняла, в чем дело. То, что меня потрясло, связано не с пространством, а со временем. Конечно, розовый бутон, изящно упавший на стол, — это всегда красиво. Так и просится на картину — рисуй, не хочу. Но это не имеет отношения к моему the движению. Хотя движение как будто бы всегда пространственно.

Глядя, как падал бутон, я в тысячную долю секунды интуитивно постигла суть прекрасного. Да, мне, малявке двенадцати с половиной лет, неслыханно повезло. В это утро все совпало: ничем не занятая голова, покой в доме, красивые розы, упавший бутон. Вот почему я вспомнила Ронсара — я поняла это не сразу. Да потому, что тут, как и у него, речь идет о времени и о розах. Потому что прекрасно то, что мы застали на излете. Тот эфемерный облик, в котором предстает предмет в миг, когда одновременно видишь и красоту, и смерть его.

Так неужели, подумала я, вот так и надо жить? Всегда балансируя на грани красоты и смерти, движения и замирания?

Может, жить значит подхватывать на лету умирающие мгновения?

8. БЛАЖЕННЫЕ ГЛОТОЧКИ

И вот оно, воскресенье.

В три часа дня я отправилась на пятый этаж.

Вишневое платье было мне немного широковато — оно и неплохо, учитывая, что впереди эльзасский глутоф, — а сердце сжалось, как свернувшийся клубком котенок.

Между четвертым и пятым этажом я столкнулась нос к носу с Сабиной Пальер. Вот уже несколько дней она враждебно и неодобрительно оглядывает мою воздушную прическу. Оцените мою смелость: я больше ни от кого не прячу свою новую внешность! И все же решимость решимостью, а такое пристальное внимание меня не радует. Сегодняшняя встреча не отличалась от предыдущих.

— Добрый день, мадам, — поздоровалась я, продолжая подниматься наверх.

Она ответила мне кивком, уперевшись взглядом мне в макушку, и вдруг, увидев, как я нарядно одета, застыла на ступеньке.

Меня накрыла волна панического ужаса, я покрылась холодным потом, а это грозило испортить ворованное платье отвратительными ореолами под мышками.

— Раз уж вы поднимаетесь наверх, не могли бы вы полить цветы на площадке? — раздраженно осведомилась она.

Напомнить ей, что ли, что сегодня воскресенье?

— Это у вас пирожные? — спросила она неожиданно.

В руках у меня был поднос с волшебными творениями Мануэлы, укутанными в синюю шелковую бумагу, и тут я сообразила, что платья моего ей не видно, что неодобрение мадам Пальер вызвано не моим нарядом, а неподобающим беднячке чревоугодием.

— Да. Вот принесли неожиданно и попросили доставить.

— Тем лучше. Воспользуетесь случаем и польете цветы, — распорядилась она и сердито заторопилась вниз.

Я добралась до пятого этажа и с трудом позвонила в дверь, ведь, кроме подноса, у меня была еще кассета.

Но Какуро мгновенно открыл и сразу забрал у меня поднос.

— Ого! — весело воскликнул он. — Вы, оказывается, не шутили! У меня уже текут слюнки.

— Это Мануэла постаралась, — сказала я, следуя за ним на кухню.

— Да что вы говорите? — Какуро развернул синюю бумагу. — Это что-то сверхъестественное.

И тут я услышала музыку. Она доносилась сверху, из невидимых динамиков, и заполняла всю кухню:

Thy hand, lovest soul, darkness shades me,
On thy bosom let me rest.
When I am laid in earth
May my wrongs create
No trouble in thy breast.
Remember me, remember me,
But ah! Forget my fate[1].

Смерть Дидоны из «Дидоны и Энея» Пёрселла. По-моему, если хотите знать, самая красивая опера в мире. Не просто красивая, а возвышенная. Звуки, сплетенные тесно-тесно, будто стянутые невидимой силой — причем каждый слышен в отдельности и в то же время слит с другими, — тают на грани человеческого голоса и тоскливого звериного крика, но никакому зверю не достичь такой красоты и гармонии. Секрет этой гармонии в особом сопряжении звуков, в том, как размыта отчетливость слов, к какой тяготеет любой язык.

Раздробить шаги, растопить звуки.

Искусство — та же жизнь, но в ином ритме.

— Пойдемте, — пригласил меня Какуро, успевший расставить на черном лаковом подносе чашки, чайник, сахарницу и положить маленькие бумажные салфетки.

Я шла впереди него по коридору и по его указанию открыла третью дверь слева.

---

[1] Дай руку, возлюбленный, тьма поглощает меня,
Пусть я упокоюсь на дне.
Когда я умру,
Страсть уж не будет
Терзать мою грудь.
Помни, помни меня,
Но позабудь мою судьбу! *(англ.)*

В прошлый раз я спросила Какуро: «У вас есть видеомагнитофон?» — Он ответил: «Есть» — и загадочно улыбнулся.

Третья дверь слева вела в маленький кинозал. Стены и потолок затянуты темным шелком, на стене белеет большой экран, поблескивают странные неведомые аппараты, тремя рядами выстроились синие бархатные кресла, точь-в-точь такие, как в настоящих кинотеатрах, перед первым рядом длинный низкий стол.

— Вообще-то кино — моя профессия.

— Профессия?

— Я тридцать лет занимался экспортом в Европу hi-fi для крупных кинотеатров. Дело очень прибыльное, к тому же я получал от него огромное удовольствие, потому что обожаю электронные игрушки.

Я уселась в удивительно мягкое кресло, и сеанс начался.

Это было неописуемо хорошо. Мы смотрели «Сестер Мунаката» на огромном экране в приятной полутьме, откинувшись на мягкую спинку, лакомясь кексом и блаженно попивая маленькими глоточками обжигающий чай. Время от времени Какуро останавливал фильм, и мы обменивались впечатлениями, говорили обо всем сразу: о камелии, о Храме мха, о нелегких людских судьбах. Я дважды наведывалась в обитель Confutatis и возвращалась в кресло, словно в теплую уютную постель.

Это было краткое выпадение из времени. Когда я впервые узнала это счастливое забытье, возможное только вдвоем? Покою, безмятежности, самодостаточности, которые дает одиночество, никогда не сравниться с вольготным счастьем и свободой каждого движения и слова, которые разделяешь с кем-то. Так когда же я впервые испытала эту блаженную легкость рядом с мужчиной?

Сегодня. Сегодня первый раз.

9. САНАЭ

Часам к пяти, наговорившись вволю за душистым чаем, я собралась уходить и, когда мы проходили через гостиную, заметила на низком столике возле дивана фотографию очень красивой женщины.

— Моя жена, — тихо сказал Какуро, проследив мой взгляд. — Она умерла десять лет назад. От рака. Ее звали Санаэ.

— Как я вам сочувствую, — сказала я. — Она очень... очень красивая.

— Да, — согласился он. — Очень красивая.

После минутного молчания Какуро сказал:

— У меня есть дочь. Она живет в Гонконге, у нее уже двое детишек.

— Вы, должно быть, скучаете без внуков.

— Я довольно часто с ними вижусь. И конечно, очень люблю. Младшего зовут Джек (мой зять англичанин), ему семь лет. Он звонил мне сегодня утром и сказал, что впервые в жизни поймал рыбку. Понимаете, какое это для него событие!

Мы снова помолчали.

— Вы ведь тоже, наверное, вдова? — спросил Какуро, когда мы уже были в прихожей.

— Да, — ответила я, — вот уже пятнадцать лет, как умер мой муж. — У меня перехватило горло. — Его звали Люсьен. Тоже от рака...

Мы стояли возле двери и с грустью смотрели друг на друга.

— Спокойной ночи, Рене, — сказал наконец Какуро. И, просветлев, прибавил: — Прекрасный был сегодня день.

А на меня стремительно обрушилась щемящая тоска.

10. ТЕМНЫЕ ТУЧИ

«Идиотка несчастная, — обругала я себя и, смахнув крошку от кекса, сняла вишневое платье. — Чего ты ждала?» Консьержка, она и есть консьержка. Не бывает дружбы между высшими и низшими. И вообще, что ты, дуреха, себе напридумала?

«Что ты, дуреха, себе напридумала?» — повторяла и повторяла я, принимая душ и уже лежа в кровати, после короткой стычки со Львом, который не хотел уступать мне облюбованное местечко.

Прекрасное лицо Санаэ Одзу мерцало перед моими закрытыми глазами, и я чувствовала себя старухой, которую снова окунули в привычную безрадостную жизнь.

Заснула я с тяжелым сердцем.

Наутро мне было скверно, как с похмелья.

Однако неделя выдалась хорошая. Какуро несколько раз заглядывал ко мне, всякий раз приглашая меня в арбитры (мороженое или шербет? Атлантика или Средиземноморье?), и мне были в радость шутливые и непринужденные разговоры с ним, вопреки темным тучам, которые обложили мое бедное сердце. Мануэла очень смеялась, увидев мое вишневое платье, а Палома окончательно переселилась в кошачье кресло.

— Когда вырасту, буду консьержкой, — объявила она своей матери, когда та снова привела ее ко мне, и Соланж Жосс взглянула на меня как-то, я бы сказала, настороженно.

— Не дай-то бог, деточка, — ответила я, любезно улыбнувшись мадам. — Ты у нас будешь принцессой.

Палома упрямо набычилась. «Все-равно-буду-консьержкой-и-никакая-мама-мне-не-указ», — говорила ее гримаска, забавно контрастирующая с леденцово-розовой, в тон оправе очков, футболкой.

— Чем это пахнет? — осведомилась Палома, когда мадам Жосс ушла.

У меня в ванной комнате что-то засорилось, и вонь стояла, как в общественной уборной. Неделю тому назад я вызвала сантехника, но, похоже, ему не улыбалось возиться с моими трубами.

— Канализацией, — ответила я, не вдаваясь в подробности.

— Издержки либерализма, — сказала Палома, словно не услышав моего ответа.

— Засор канализации, — уточнила я.

— Я и говорю, — подхватила Палома. — Почему до сих пор не пришел сантехник?

— Потому что у него много вызовов, — предположила я.

— Ничего подобного, — отрезала Палома. — Правильный ответ: потому что его ничто не вынуждает. А почему его ничто не вынуждает?

— Потому что у него нет конкурентов, — ответила я.

— Вот именно, — согласилась с довольной улыбкой Палома, — не срабатывает механизм свободного рынка. Железнодорожников пруд пруди, а сантехников не хватает. Лично мне больше по душе колхозы.

Стук в дверь прервал нашу увлекательную беседу.

Пришел Какуро, который, судя по его виду, хотел сообщить что-то важное.

Увидев Палому, он сказал:

— О-о, добрый день, милая барышня. Я загляну попозже, Рене?

— Как хотите. У вас все в порядке?

— Спасибо, все в порядке, — рассеянно ответил он. И, внезапно решившись, бросился напролом: — Может быть, поужинаете со мной завтра вечером?

— Э-э... — промямлила я. Меня бросило в жар. — Ну-у...

Все, что мне мерещилось в последние дни, вдруг обретало плоть и кровь.

— Я хотел бы пригласить вас в ресторан, который сам очень люблю, — продолжал он, и в глазах его появилось что-то просящее, так собаки смотрят на кость.

— В ресторан? — переспросила я, совсем смешавшись.

Слева от меня в кресле мышкой завозилась Палома.

— Выслушайте меня, — заговорил Какуро, явно смущаясь. — Поверьте, я приглашаю вас от души. У меня... у меня завтра день рождения, и я был бы счастлив видеть вас своей дамой.

— А! — сказала я, потому что больше ничего не могла сказать.

— В понедельник я уезжаю к дочери, и там, разумеется, будет семейный праздник, но... завтра... если бы вы согласились...

Он замолчал и с надеждой посмотрел на меня. Я тоже молчала.

— Мне очень жаль, — заговорила я наконец. — Но, право, это не совсем удачная мысль.

— Почему же? — спросил Какуро, и лицо у него стало огорченное.

— Это очень любезно с вашей стороны, — продолжала я, стараясь говорить как можно тверже и боясь, как бы голос у меня не дрогнул, — и я вам очень благодарна, но я не могу принять ваше предложение. Большое спасибо. Я уверена, что у вас есть друзья, с которыми вы прекрасно отпразднуете ваш день рождения.

Какуро смотрел на меня в полном расстройстве.

— Я... — начал он, — да, конечно, но... я правда так хотел... И... почему же?.. — Он нахмурил брови. — Не понимаю.

— Так будет лучше, — сказала я. — Поверьте.

И тихонько пошла вперед, почти вынуждая его отступить к двери.

— У нас еще не раз будет случай посидеть и поговорить, я уверена.

Какуро пятился, как пешеход, не вовремя сошедший с тротуара.

— Такая досада, — вновь заговорил он. — Мне было бы так приятно... И все-таки...

— Всего доброго, — сказала я и мягко закрыла дверь у него перед носом.

11. ДОЖДЬ

«Худшее позади», — подумала я.

Но я забыла о неподкупной Фемиде цвета розового леденца. Обернулась и оказалась лицом к лицу с Паломой.

Вид у нее был крайне недовольный.

— Могу я узнать, во что это вы решили поиграть? — спросила она суровым тоном, напомнившим мне мадам Бийо, мою последнюю учительницу.

— Ни во что, — ответила я слабым голосом, прекрасно понимая, что веду себя как маленькая девочка.

— Вы наметили какие-то особые дела на завтрашний вечер? — продолжала она свой допрос.

— Да нет. Не в этом дело...

— А в чем же, позвольте узнать?

— Я считаю, что это нехорошо.

— Но почему, объясните, — настаивал неумолимый следователь.

Почему?

Если бы я знала.

И вдруг хлынул дождь.

12. СЕСТРЫ

Ох уж этот дождь...

В моих родных краях всю зиму лил дождь. Солнечных дней я не помню, все дождь да дождь, грязь, холод, промозглая сырость, влажная одежда, волосы, сколько ни сушись у огня, до конца все равно не высохнешь. Сколько раз я вспоминала тот дождливый вечер, сколько раз все снова и снова думала о том, что произошло тогда, сорок лет назад, и что воскресло в памяти сегодня, под шум дождя.

Ох уж этот дождь...

Мою сестру назвали именем девочки, которая родилась до нее и сразу же умерла, а ту назвали именем нашей покойной тети. Лизетта была настоящей красавицей. Я знала это, еще когда была совсем маленькой; мне неоткуда было взять внятного представления о красоте, но я чуяла ее душой. Дома у нас об этом, как, впрочем, ни о чем другом, не говорили. Зато я слышала перешептывание соседок, когда сестра проходила по улице. «Такая красотка и без гроша — хорошего не жди!» — предрекала галантерейщица, провожая нас взглядом, когда мы шагали в школу. Я, некрасивая, нескладная, убогая, крепко держалась за руку Лизетты, а она шла легким шагом, высоко подняв голову, и все встречные щедро сулили ей самое мрачное будущее.

В шестнадцать лет она уехала в город нянчить богатых детей. Мы не виделись с ней целый год. Она приезжала на Рождество и привезла невиданные подарки: пряники, яркие ленты, мешочки с душистой лавандой. Гляделась она королевой. Ни у кого не было такого нежного, точеного, веселого личика, как у нее. Впервые кто-то говорил с нами, что-то нам рассказывал, а мы жадно слушали, дивясь каждому слову, слетавшему с уст сестры, которая покинула бедный крестьянский дом и жила в доме богатых. Она открывала нам неведомый мир, разноцветный, нарядный, сияющий, в нем женщины днем разъезжали за рулем автомобиля, а вечером возвращались домой, где было полным-полно разных механических штук: одни умели делать вместо людей всякую работу, другие, стоило повернуть ручку, рассказывали обо всем, что делается на свете...

Подумать только, в какой нищете, духовной и физической, мы прозябали. От нашей деревни было всего пятьдесят километров до большого города и двенадцать до крупного поселка, но мы влачили жизнь средневековых крестьян, полную лишений и тягот, и твердо знали, что обречены оставаться темной деревенщиной. Думаю, что и теперь найдется в каком-нибудь глухом углу горстка дряхлых стариков, которые знать не знают, что такое современная жизнь, но у нас-то в семье все были молодые, работоспособные, и вот поди ж ты! Лизетта рассказывала о ярко освещенных, украшенных к рождественским праздникам улицах, а для нас это были диковинные вещи, о каких мы и не подозревали раньше.

Потом она снова уехала. Несколько дней после ее отъезда мы еще разговаривали друг с другом по инерции. За ужином отец высказывал свои суждения по поводу того, что услышал от дочери: «Во дают, во чудно!» А потом снова все замолчали, и только недовольные окрики нарушали тишину, давившую на нас, как проклятье.

Стоит мне это вспомнить... Дожди без конца и покойники, покойники, покойники... Лизетта носила имя двух покойниц, мне досталась только одна — меня назвали в честь бабушки с материнской стороны, которая умерла незадолго до моего рождения. Братья носили имена убитых на войне кузенов, наша мама — имя умершей родами двоюродной сестры, которую она в глаза не видела. Так мы и жили, храня молчание, в мире покойников, но вот однажды ноябрьским вечером из города вернулась Лизетта.

Ох уж этот дождь, как хорошо я его помню... Он барабанил по крыше, все дороги раскисли, у ворот нашей фермы непролазная грязь, серое небо, ветер и неизбывное ощущение промозглой сырости, оно угнетало так же, как угнетала жизнь, безликая и беспросветная. Мы сидели возле очага, тесно прижавшись друг к другу, и вдруг мама встала, нарушив этот щенячий уют; мы недоуменно уставились на нее, а она направилась к двери и, подчиняясь необъяснимому порыву, распахнула ее.

Дождь... Все дождь и дождь... На пороге, неподвижная, с прилипшими к лицу волосами, в промокшем платье и набрякших от воды грязных туфлях, стояла Лизетта, глядя прямо перед собой застывшим взглядом. Как о ней догадалась мама? Женщина, чья любовь к детям выражалась разве только в том, что она их не колотила. Грубая, неграмотная, она рожала детей точно так же, как копала землю, кормила коров и кур, и никогда не называла их даже по данным при рождении именам, которые вряд ли и помнила. Так что же ей подсказало, что дочь, полумертвая от усталости, стоит перед дверью под проливным дождем и молча, даже не думая постучать, ждет, чтобы кто-нибудь открыл ей и пустил в тепло?

Или материнская любовь — это и есть инстинктивное чутье к боли своего детища, искра сострадания, которая дремлет в каждом человеке, даже если он обречен жить нечеловеческой жизнью? Так думал Люсьен: мать, любящая своих детей, говорил он, всегда знает, когда им плохо. Но я с ним не согласна. Хотя и не виню ни в чем мать, которую трудно назвать матерью. Бедность безжалостно выкашивает в человеке сочувствие к ближнему, опустошает его душу, лишает каких бы то ни было эмоций, чтобы он мог тянуть свою лямку. Нет, я не верю в красивые сказки — не материнская любовь вела мою мать, а исконно присущее бедняку ожидание несчастья. Бедняк рождается с ним, оно укоренено в нем, и оно подсказало ей, что у таких бедняков, как мы, неминуемо наступает вечер, когда обесчещенная дочь возвращается под дождем и ветром к домашнему очагу умирать.

Лизетта прожила на свете ровно столько, сколько было нужно, чтобы выносить ребенка. А новорожденный сделал то, чего от него ждали:

умер через три часа после рождения. Из этой трагедии, которую мои родители считали естественным ходом вещей и огорчились не больше — хотя и не меньше, — чем если бы потеряли козу, я вынесла две истины: сильные живут, слабые умирают; счастье и несчастье зависит от твоего места на общественной лестнице. Лизетта была красивой и бедной, я некрасивой и умной, но меня тоже постигнет несчастье, если я попытаюсь, используя свои способности, посягнуть на другой социальный уровень. Но поскольку перестать быть собой и поглупеть я не могла, то нашла другой выход: затаиться, не выдавать себя и никогда не иметь дела с людьми из чужого мира.

Из молчуньи я стала еще и подпольщицей.

Внезапно я поняла, что сижу у себя на кухне в Париже, в самом сердце враждебного мира, где выкроила себе крошечное тайное убежище, которое никогда не покидаю, — сижу и плачу, а на меня сочувственно смотрит, держит за руку и ласково поглаживает маленькая девочка. Поняла, что обо всем рассказала — о Лизетте, о своей матери, о дожде, о растоптанной красоте, а главное, о злой судьбе, которая посылает возжелавшим заново родиться мертвым матерям мертворожденных младенцев. Я плакала горько и неудержимо, рыдала вовсю, но вместе со смущением чувствовала необъяснимое счастье оттого, что взгляд Паломы, суровый и отчужденный, все теплел и теплел, согревая мои безутешные слезы.

— Господи! — сказала я, немного успокоившись. — Прости, Палома, я такая глупая!

— А знаете, мадам Мишель, — сказала она в ответ, — благодаря вам у меня появилась надежда.

— Надежда? — переспросила я, трагически всхлипывая.

— Да, — сказала Палома. — Теперь я думаю, что переломить судьбу все-таки возможно.

Мы просидели с Паломой довольно долго, держались за руки и молчали. У меня появился друг — добрая двенадцатилетняя душа, и я испытывала к Паломе горячую благодарность, хоть и понимала всю несуразность своей привязанности, и все же, при всей впечатляющей разнице в возрасте, положении, житейских обстоятельствах, мы с ней были друзьями.

Когда Соланж Жосс пришла за дочерью, мы с Паломой заговорщицки, как закадычные подружки, переглянулись и распростились, уверенные, что скоро увидимся вновь. Дверь за ними закрылась, я уселась в кресло перед телевизором, положила руку на грудь, послушала, как бьется сердце, и себе на удивление громко произнесла: может, это и значит — жить.

Глубокая мысль № 15

Хочешь помочь себе —
Помогай другим
И смейся или плачь
Счастливому повороту судьбы.

Знаете что? Боюсь, не упустила ли я чего-то... Бывает же, что человек попал в дурное общество, а потом встретил хорошего человека и понял, что жить можно и по-другому... Дурное общество — мама, Коломба, папа и все их знакомые. Но сегодня я узнала по-настоящему хорошего человека. Мадам Мишель рассказала мне о своей душевной травме: она избегает Какуро, потому что на нее угнетающе подействовала смерть сестры Лизетты, которую соблазнил и бросил богатый папенькин сынок. И с тех пор ее главным жизненным правилом стало: не имей дела с богатыми, если не хочешь умереть.

Я слушала мадам Мишель и думала: что оказалось тяжелее для ее психики — смерть обманутой сестры или ее последствия: постоянный страх оказаться на ее месте и так же погибнуть? Смерть сестры мадам Мишель пережила, а вот сможет ли она справиться с собственным страхом?

Но я поняла и другую, очень важную вещь, я почувствовала... Стоило мне заговорить о том, что я почувствовала, как на глазах выступили слезы, пришлось отложить ручку и немного поплакать. Ну так вот, слушая мадам Мишель, видя, как она плачет, а главное, с каким облегчением открывает мне душу, я поняла: мне плохо оттого, что я не могу помочь своим близким. Поняла, что сержусь на маму, папу и в особенности на Коломбу, потому что не могу быть им полезна, ничего не могу для них сделать. Их болезнь зашла слишком далеко, а у меня слишком мало сил. Все симптомы налицо, я вижу их, но как лечить, не знаю и от этого болею точно так же, как они, сама того не замечая. А когда я держала за руку мадам Мишель, то почувствовала эту свою болезнь. Наказывая тех, кого я не в силах исцелить, я никогда не вылечусь сама — вот это точно. Может, имеет смысл еще раз хорошенько подумать о пожаре и самоубийстве. Если честно, то не так уж мне хочется умереть, а вот увидеться с мадам Мишель и с Какуро очень хочется. Да, и еще с Йоко, его внучатой племянницей, чью судьбу не угадаешь. И попросить у них помощи. Конечно, я не собираюсь являться и вопить: help me, спасите маленькую девочку от самоубийства! Но я готова принять помощь других людей, ведь я на самом деле маленькая девочка, и мне на самом деле плохо, а мои семь пядей во лбу ничего не меняют. Несчастная маленькая девочка в свой самый горький час встретила хороших, добрых людей. Так разве может она упустить счастливый шанс?

Уф. Что-то я запуталась. То, что рассказала мадам Мишель, — настоящая трагедия. А то, что на свете есть хорошие люди, — настоящая радость. Но как тут радоваться, когда существует такой ужас? Люди живут и умирают под дождем. Голова идет кругом. Но мне вдруг показалось, что я нашла свое призвание. Подумала, что вылечусь, если буду помогать другим, тем, кого еще можно вылечить, кого можно еще спасти, вместо того чтобы умирать, оттого что не могу вернуть к жизни обреченных. Что же, стать врачом? Или писателем? Ведь между ними есть что-то общее?

Но сколько на каждую мадам Мишель разных Коломб и Тиберов!..

13. ПО КРУГАМ АДА

Палома ушла потрясенная до глубины души, а я долго-долго тихо сидела в кресле.

Потом набралась мужества, крепко взяла себя в руки и позвонила Какуро Одзу.

На втором гудке трубку снял Поль Н'Гиен.

— Здравствуйте, здравствуйте, мадам Мишель, — приветливо поздоровался он. — Чем могу быть полезен?

— Мне бы хотелось поговорить с Какуро, — сказала я.

— Его, к сожалению, нет дома. Если хотите, он позвонит вам сразу же, как только вернется.

— Нет, спасибо. — Я даже обрадовалась, что могу воспользоваться посредником. — Будьте добры, передайте ему, что, если он не передумал, я буду рада поужинать с ним завтра вечером.

— С удовольствием передам.

Я повесила трубку и снова рухнула в кресло, в голове роились сумбурные, но, как ни странно, приятные мысли. Так прошел целый час.

— Пахнет у вас не слишком аппетитно, — произнес позади меня мягкий мужской голос. — И никак нельзя это устранить?

Я оглянулась и увидела красивого юношу в новенькой джинсовой куртке, с темными растрепанными волосами и большими ласковыми глазами кокер-спаниеля. Он так тихо отворил дверь, что я даже не услышала.

— Жан? Жан Артанс? — изумленно проговорила я, не веря собственным глазам.

— Он самый. — Он, как раньше, склонил голову к плечу.

Но этот жест — единственное, что оставалось в нем общего с изможденным душой и телом парнем-наркоманом. Жан Артанс, еще недавно стоявший на краю могилы, теперь, похоже, надумал воскреснуть.

— Вы великолепно выглядите! — воскликнула я, улыбаясь во всю ширь.

Он тоже улыбнулся:

— Добрый день, мадам Мишель! Очень рад вас видеть. Вам так очень к лицу, — добавил он, показав на мою прическу.

— Спасибо, — отозвалась я. — А вы к нам за каким делом? Хотите чашечку чая?

— Ну-у, — начал он с былой неуверенностью, но тут же согласился, — конечно, с удовольствием.

Я принялась готовить чай, а он уселся на стул и с изумлением уставился на Льва.

— Неужели он и раньше был таким толстущим? — спросил он без всякой задней мысли.

— Да, — кивнула я, — он у меня не спортсмен.

— А это не от него так скверно пахнет? — Жан брезгливо сморщил нос.

— Нет, что вы! — успокоила я его. — Запах, знаете ли, сантехнического свойства.

— Вы, наверное, здорово удивились, что я вот так запросто взял и зашел к вам, — сказал он. — Тем более что не так уж часто мы с вами болтали.

Я вообще был тогда не слишком разговорчив. Я имею в виду, когда был жив отец.

— Я очень рада, что вы пришли, — ответила я. — А еще больше рада, что вы так хорошо выглядите, — от души сказала я.

— Ага, — согласился он. — Я вернулся черт знает откуда...

И мы оба отпили по глоточку душистого обжигающего чая.

— Теперь я вылечился. Надеюсь, окончательно вылечился, если бывает что-то окончательное на свете, — сказал он. — Во всяком случае, сейчас никаких наркотиков. И еще я встретил девушку, такую... такую... просто потрясающую девушку! — Глаза у него засветились, и он даже всхлипнул. — И работенку себе приискал неплохую.

— А чем вы занимаетесь? — поинтересовалась я.

— Работаю в магазине яхтового оборудования.

— Моторы, запчасти? — уточнила я.

— Ага, в общем, дело что надо. Как будто сам катаешься по всему свету. Парни, которые к нам приходят, толкуют о своих посудинах, о разных морях — с одного приехали, на другое собираются. Мне это по душе, и вообще, знаете, я люблю работать.

— А в чем конкретно заключается ваша работа?

— Ну, пока делаю что придется, то за прилавком, то на доставке, но со временем подучусь и буду профи. Мне и теперь поручают кое-что интересное: наладить паруса, ванты, поправить такелаж.

Чувствуете поэзию моря? Ванты, такелаж — это вам не какие-нибудь сухопутные лесенки и канаты. А если вы не чувствительны к таким лексическим тонкостям, то, умоляю вас, научитесь хотя бы расставлять запятые.

— Вы тоже, надо сказать, в хорошей форме, — прибавил он, приветливо глядя на меня.

— Правда? Что ж, и у меня произошли кое-какие перемены, и это мне, кажется, пошло на пользу.

— Вообще-то, — снова заговорил Жан, — я пришел сюда не для того, чтобы повидаться с соседями или на старую квартиру посмотреть. Я даже не был уверен, узнают ли меня тут. Удостоверение личности прихватил на тот случай, если и вы меня не узнаете. Пришел потому, что никак не могу вспомнить одну очень важную вещь, которая мне помогала, даже когда я был болен и когда выздоравливал тоже.

— И я могу быть вам полезной?

— Можете. Потому что как раз вы и сказали мне, как называются эти цветы. Знаете, те, что растут вон там, на клумбе. — Он ткнул пальцем в глубину двора. — Такие небольшие красивые цветы, белые и красные. Мне кажется, вы их и посадили? Помните, однажды я спросил вас, как они называются, вы ответили, но у меня тогда ничего в голове не держалось. А думать про эти цветы я думал, сам не знаю почему. Они очень красивые, и вот, когда мне было плохо, я вспоминал про них, и мне становилось лучше. А тут я как раз проходил неподалеку и подумал: зайду-ка и спрошу мадам Мишель, что же это за цветы.

Ему вдруг стало неловко, и он искоса взглянул на меня.

— Вам, наверное, странно такое слышать. Надеюсь, я не напугал вас этим цветочным бзиком?

— Нисколько, — отвечала я. — Да если бы я знала, что они вам так помогают, я бы насадила их всюду, всюду!

Жан рассмеялся счастливым мальчишеским смехом.

— Ах, мадам Мишель, да ваши цветы просто спасли мне жизнь. Разве не чудо? Так вы можете сказать, как они называются?

Да, милый ты мой, могу, конечно. Когда скитаешься по кругам ада, захлебываешься в водах потопа, чувствуешь, что прерывается дыхание и сердце готово выскочить из груди, и вдруг видишь тоненький лучик света — это камелии.

— Да, — сказала я, — это камелии.

Жан пристально посмотрел на меня широко открытыми, изумленными глазами. Крошечная слезинка сползла по щеке этого спасенного мальчика.

— Камелии, — повторил он, перебирая в памяти что-то, ведомое ему одному. — Камелии, вот оно что. — И снова посмотрел на меня. — Камелии. Ну да, камелии.

Я почувствовала, что и моя щека увлажнилась, и взяла его за руку:

— Жан, вы представить себе не можете, до чего я счастлива, что вы сегодня пришли.

— Да? — сказал он удивленно. — Почему же? Почему?

Потому что камелия способна переломить злую судьбу.

14. ИЗ КОРИДОРА НА КРУГИ

Что же это за борьба, которую мы ведем непрестанно, хотя заведомо обречены на поражение? Что ни утро, изнуренные бесконечной битвой, мы опять и опять, преодолевая отвращение перед повседневностью, шагаем по бесконечному коридору, по которому уже столько отшагали, повинуясь судьбе... Да, милый ты мой, вот она повседневность: унылая, пустопорожняя, изобилующая горем. Круги ада не так уж далеки от нее; стоит побыть в ней подольше, и до них уж рукой подать. Из коридора прямо в какой-нибудь круг, попадешь и не заметишь. Каждый день мы с тоской возвращаемся к своему коридору и шаг за шагом одолеваем невеселый путь, к которому приговорены.

Увидел ли он адские круги? Каково это: родиться после того, как побывал в преисподней? Как оживают зрачки на остекленевших глазах? Где начинается борьба и где она иссякает?

Так, значит, камелия...

15. ПО ЖАРКИМ ВСПОТЕВШИМ ПЛЕЧАМ

В восемь часов вечера Поль Н'Гиен появился на пороге привратницкой, едва удерживая в руках свертки, и с улыбкой сказал мне:

— Месье Одзу все еще не вернулся, его задержали в посольстве. Там какие-то сложности с визой, поэтому он попросил меня передать вам вот это.

Он положил свертки на стол и протянул мне письмо в конверте.

— Спасибо, — поблагодарила я. — Может быть, чайку или еще чего-нибудь?

— Спасибо, — поблагодарил и он. — Но у меня еще столько дел... А ваше приглашение, если позволите, я приберегу на будущее.

И снова улыбнулся так тепло и радостно, что и у меня на сердце потеплело.

Оставшись в кухне одна, я села, положила свертки на стол и открыла конверт:

«Он вдруг испытал приятное ощущение холода по жарким вспотевшим плечам. Он взглянул на небо во время натачивания косы. Набежала низкая тяжелая туча, и шел крупный дождь».

Пожалуйста, примите мои подарки попросту.

Какуро

Летний дождь, упавший на плечи Левина во время косьбы... Какуро так растрогал меня, что несколько минут я сидела неподвижно, прижав руки к груди. Потом один за другим развернула пакеты.

Шелковое жемчужно-серебристое платье с небольшим стоячим воротником, перехваченное черным атласным пояском.

Шелковая пурпурная накидка. Легкая и плотная, словно порыв ветра.

Лодочки на невысоком каблуке из зернистой черной кожи, такой мягкой и такой тонкой, что я прижалась к ним щекой.

Я любовалась платьем, накидкой, туфлями.

За дверью мяукал и царапался Лев — просился домой.

У меня по лицу текли сладкие слезы, в груди разворачивала лепестки нежная камелия.

16. ПОРА БЫ УЖЕ ЧЕМУ-ТО КОНЧИТЬСЯ

На следующий день в десять часов утра в дверь привратницкой постучались.

Стучал здоровенный верзила, одетый в черное, в шерстяной темно-синей шапочке и в высоких военных ботинках, какие когда-то маршировали по Вьетнаму. Это Тибер, дружок Коломбы и чемпион мира по бесцеремонности.

— Я ищу Коломбу, — сказал Тибер.

Звучит комично, не правда ли? Куда поэтичнее было бы: «Я ищу Джульетту, — сказал Ромео».

Итак: «Я ищу Коломбу», — сказал бравый Тибер, который не боялся ничего, кроме шампуня, что обнаружилось, когда он снял с головы шапку. Не подумайте, что из вежливости. Жарко стало.

Как-никак на дворе май!

— Палома сказала, что она здесь, — прибавил он. Подумал и еще прибавил: — Блин.

Палома, ты хорошо пошутила!

Я быстренько выставила его вон, и в голове у меня зашевелились причудливые мысли.

Тибер... Такое громкое имя и такой невзрачный хозяин... Я припомнила писанину Коломбы Жосс, тишину доминиканской библиотеки... потом почему-то подумала про Рим — хотя понятно: Тибер, почти Тибр... Неожиданно всплыло лицо Жана Артанса... А следом я увидела его отца с нелепым бантом на шее... Столько людей, столько миров, все чего-то ищут... Как мы можем быть такими одинаковыми и жить каждый в своей вселенной? Одинаково сходить с ума, но на разной почве, по разным причинам, из-за разных страстей? Тибер... Я почувствовала смертельную усталость — я устала от богатых, устала от бедных, от всего этого фарса... Лев спрыгнул с кресла и стал тереться о мою ногу. Растолстел он из чистой филантропии. У моего кота щедрая благородная душа. Он улавливает малейшие мои вибрации. А я устала, очень устала...

Пора бы уже чему-то кончиться, а чему-то другому начаться.

17. МУКИ СБОРОВ

К 8 часам вечера я была готова.

Платье и туфли сидели идеально (как раз мои размеры — 42 и 37).

Накидка совершенно в римском стиле (60 сантиметров в ширину и 2 метра в длину).

Волосы я помыла шампунем 3 раза, потом высушила волосы феном «Бабилис» (1600 Вт), потом 2 раза расчесала вперед-назад, слева-направо, и наоборот. Результат потрясающий.

Четыре раза я садилась и 4 раза вставала, стало быть, сейчас стояла, не зная, что бы еще такое сделать.

Может, снова сесть?

В шкафу за стопкой простыней лежал футляр с сережками, которые достались мне от Иветты, моей зловредной свекрови: 2 подвески старинного серебра с каплевидными гранатами. Я достала их и с 6-й попытки вдела в уши, теперь у меня такое ощущение, как будто в мои бедные растянутые мочки вцепились 2 пузатые кошки. Пятьдесят четыре года без всяких украшений усугубляют муки сборов. Я и губы слегка подкрасила помадой «темный кармин», купленной 20 лет назад по случаю свадьбы одной из кузин. Меня всегда бесило, насколько долговечны такие чепуховины, тогда как драгоценные человеческие жизни гибнут на каждом шагу. Я принадлежу к тем 8 % населения земного шара, которые заслоняются от страха и беспокойства цифрами.

Какуро Одзу 2 раза стукнул в дверь.

Я открыла.

Какой он красивый! Антрацитовая куртка со стоячим воротником и отделанными шнуром петлицами, прямые брюки в тон и мокасины из мягчайшей кожи, похожие на домашние, но высшего класса. Все вместе очень... по-евразийски.

— До чего же вы хороши! — сказал он мне.

— Благодарю вас, — ответила я растроганно. — Вы тоже выглядите прекрасно. С днем рождения!

Какуро улыбнулся. Я старательно заперла дверь, закрыв ее за собой и перед носом Льва, задумавшего прорыв. Какуро подал мне руку, и я оперлась на нее, чувствуя, что моя немного дрожит. «Только бы нам никого не встретить», — молилась внутри меня упрямая частичка Рене-подпольщицы. Сколько ни прощалась я со своими страхами, но пока еще не была готова стать притчей во языцех на улице Гренель.

Случилось то, чего следовало ожидать.

Не успели мы подойти к входной двери, как она открылась нам навстречу.

Вошли Жасента Розен и Анн-Элен Мерисс.

Вот незадача! Что же делать?!

Деваться некуда!

— Добрый вечер, — пропел Какуро и, буквально волоча меня за собой, проворно обошел их слева. — Добрый вечер, милые дамы! Мы опаздываем, поэтому приветствуем вас и бежим со всех ног.

— Добрый вечер, месье Одзу, — жеманно отозвались они, поворачивая головы, точно их тянули за веревочки. — Добрый вечер, мадам, — поприветствовали они и меня (это меня-то!), улыбаясь во весь рот и показывая все свои зубы.

Честное слово, никогда не видала разом столько зубов.

— Приятного вечера, мадам, — просюсюкала Анн-Элен Мерисс, с жадностью рассматривая меня, когда мы с Какуро уже выходили из подъезда.

— Спасибо, спасибо! — прожурчал Какуро и подтолкнул ногой створку двери, закрыв ее за нами. — Кошмар! — рассмеялся он. — Если б мы остановились, задержались бы на час, не меньше.

— Они меня не узнали, — сказала я и пораженно застыла посреди тротуара. — Они меня не узнали!

Какуро стоял рядом, по-прежнему крепко держа меня под руку.

— Потому что никогда не видели, — сказал он. — А я узнал бы вас всегда.

18. В СТРУЕ ВОДЫ

Достаточно один раз убедиться, что можно быть слепым на свету и зрячим в темноте, чтобы задаться вопросом: что же такое зрение? Как оно работает? Мы уже ехали в такси, заказанном Какуро, а я все думала о Жасенте Розен и Анн-Элен Мерисс, которые начинали видеть меня только при определенных обстоятельствах (в сословном мире я достойна их внимания, если, например, иду под руку с месье Одзу). И вдруг со всей ясностью поняла: взгляд сродни руке, запущенной в струю воды. Он что-то выуживает, хватает наугад, а не прицельно, принимает на веру и не задает вопросов, получает даром, не прилагая усилий, — он ничего не желает, ни к чему не стремится, ни за что не бьется.

Такси скользило в голубеющих сумерках, а я все думала.

О Жане Артансе, чьи угасшие зрачки ожили при виде камелий.

О Пьере Артансе, таком зорком и совсем слепом, как нищий.

О двух встреченных дамах с жадным взглядом попрошаек, но тоже слепых, как котята.

О застывшем взгляде Жежена, всегда направленном только вниз, на дно.

О Люсьене, неспособном видеть, потому что слишком густая темнота обступала его.

О Нептуне, которому служит зрением безошибочный нюх.

И о себе: хорошо ли я вижу?

19. МЕРЦАЮЩИЕ ТЕНИ

«Черный дождь» видели?

Если не видели «Черный дождь» или, на худой конец, «Бегущего по лезвию», вам будет трудно понять, почему, как только мы вошли в ресторан, у меня возникло ощущение, что я попала в фильм Ридли Скотта. В «Бегущем по лезвию» есть сцена в баре, где выступает женщина-змея и откуда Декард вызывает Рэчел по висящему на стене видеофону. В «Черном дожде» тоже есть бар и девушки по вызову, одна из которых — белокурая Кейт Кэпшоу с обнаженной спиной. Там и тут перемешаны лучи света, точно проходящие сквозь цветные витражи собора, и клубы адской тьмы.

— Люблю такой свет, — сказала я Какуро, усаживаясь на диванчик.

Нас устроили в уютном спокойном уголке, за столик, на который падал солнечный блик посреди мерцающих теней. Как тени могут мерцать? Не знаю, но они мерцали.

— Вы смотрели «Черный дождь»?

Я и представить себе не могла, что у двух людей могут быть такие схожие вкусы и общие ассоциации.

— Смотрела, — ответила я, — раз двенадцать, не меньше.

Все вокруг было мерцающим, искрящимся, хрустальным и бархатным. Волшебным.

— Нас ждет суши-пир, — провозгласил Какуро, с удовольствием разворачивая салфетку. — Надеюсь, вы не сердитесь, что я все заказал заранее? Мне хотелось угостить вас всем самым лучшим из того, что может предложить японская кухня в Париже.

— Конечно, не сержусь, — ответила я, изумившись множеству узорных чашечек с диковинными овощами, замаринованными и политыми не-знаю-какими, но очень соблазнительными соусами, которые принесли и расставили перед нами официанты, пристроив между ними ещё и бутылочки с саке.

И мы приступили. Первым я выудила маринованный огурчик, но он только на вид был маринованным огурчиком, а на вкус чем-то невообразимо вкусным. Какуро выловил двумя темными деревянными палочками кусочек... чего? мандарина? помидора? манго?.. и ловко отправил в рот. Я немедленно запустила палочки в ту же чашечку.

Оказалось, это сладкая морковка — пища богов!

— Что ж, с днем рождения! — сказала я и подняла свой стаканчик с саке.

— Спасибо. Большое спасибо, — отозвался Какуро и чокнулся со мной.

— Неужели осьминог? — удивилась я, вытащив кусочек зазубренного щупальца из пиалы с шафраново-желтым соусом.

И тут официант принес нам на двух небольших толстых досках пластинки сырой рыбы.

— Сашими, — сказал Какуро. — Там тоже есть мясо осьминога.

Я погрузилась в созерцание. От такой красоты прямо захватывало дух. Я подцепила своими неловкими палочками белый с серыми прожилками кусочек рыбы («речная камбала», — услужливо уточнил Какуро) и, приготовившись вкусить блаженство, попробовала.

Почему мы ищем вечность в чем-то незримом и неощутимом? Мне она явилась в виде серовато-беловатого кусочка рыбы.

— Рене, — заговорил Какуро, — я бесконечно счастлив отпраздновать свой день рождения в вашем обществе, но для нашего сегодняшнего ужина есть и более серьезный повод.

Хоть мы знакомы с Какуро всего три недели, но я уже легко могла предположить, что он может счесть «серьезным поводом». Франция или Англия? Вермеер или Караваджо? «Война и мир» или чу́дная «Анна Каренина»?

Я взяла еще кусочек воздушнейшего сашими — кажется, тунец? Но кусочек оказался весьма внушительного размера, пришлось делить его на части.

— Да, сначала я пригласил вас на день рождения, — продолжал Какуро, — но потом кое-что узнал от одного человека. И хочу сказать вам очень важную вещь.

Я копошилась со своим тунцом и слушала его вполуха.

— Вы совсем не ваша сестра, — твердо произнес Какуро, глядя мне прямо в глаза.

20. У ГАГАУЗОВ

Любезные дамы!

Если вас в один прекрасный вечер пригласит поужинать в дорогом ресторане богатый и приятный во всех отношениях господин, не изменяйте изысканным манерам, что бы ни случилось. Удивит ли он вас, огорчит или попросту ошарашит, храните благородную невозмутимость и самые неожиданные слова принимайте с соответствующим обстановке изяществом. Со мной же, простолюдинкой и деревенщиной, все произошло иначе. Я и сашими-то ела попросту, как ела бы дома картошку. И когда я от ужаса сглотнула и почувствовала, что очередная частичка вечности встала у меня поперек горла, то без всякой изысканности по-пещерному раскашлялась. За соседними столиками повисла тишина. А я продолжала кашлять, пока наконец очередной, не сказала бы, что благозвучный приступ, не вытолкнул пресловутую частичку у меня из горла и я, схватив салфетку, не избавилась от нее.

— Я могу повторить. Повторить? — спросил Какуро. Ей-богу, ему, кажется, было весело!

— Я... кха-кха-кха! — прокаркала я.

«Кха-кха-кха» — традиционный обрядовый возглас у гагаузов.

— Я не... кха-кха-кха, — выводила я с тем же блеском.

И наконец, с совсем уже недосягаемым шиком, выпалила:

— Че-го?!

— Еще раз говорю вам, для полной ясности, — сказал Какуро терпеливо, как говорят с детьми или со слабоумными. — Рене, вы совсем не ваша сестра. — И так как я уставилась на него с глупым видом, продолжил: — И в последний раз повторю, а вы смотрите не подавитесь насмерть кусочком суши ценой, к слову сказать, тридцать евро за штуку. Суши не рекомендуется заглатывать так резко. Вы не ваша сестра, Рене, и мы можем быть друзьями. И всем, чем только захотим.

21. НЕСКОНЧАЕМЫЕ ЧАЕПИТИЯ

Toum toum toum toum toum toum toum
Look, if you had one shot, one opportunity,
To seize everything you ever wanted
One moment
Would you capture it or just let it slip?[1]

Это Эминем. Признаюсь, как пророк современной элиты, я иной раз его слушаю, — тогда, когда уж не поспоришь, что Дидона погибла безвозвратно.

А сейчас в голове у меня все перепуталось.
Не верите?
Судите сами.

Remember me, remember me
But ah forget my fate
Trente euro piece
Would you capture it
Or just let it slip?[2]

---

[1] Тум тум тум тум тум тум тум
Послушай, если бы ты мог
В одно мгновенье
Получить все, что когда-либо хотел,
Неужто ты б не ухватился и упустил его? *(англ.)*

[2] Помни, помни меня,
Но позабудь мою судьбу,
По тридцать евро штука,
Неужто ты б не ухватился
И упустил его? *(англ. и фр.)*

Такая вот каша. Я всегда удивлялась тому, как отпечатываются и всплывают, кстати и некстати, в памяти разные мелодии (не говорю уж о *Confutatis*, большом друге консьержек с миниатюрным мочевым пузырем), вот и сейчас я с искренним, хоть и несколько отстраненным интересом отметила, какая получалась medley[1].

А потом я заплакала.

В какой-нибудь забегаловке на парижской окраине все были бы только рады поглазеть на посетительницу, которая сначала чуть не подавилась, а потом разревелась, уткнувшись в салфетку. Но здесь, в храме солнца, где сашими продаются поштучно, такое представление имело прямо противоположный эффект. Меня обволокла волна молчаливого неодобрения, но я рыдала и рыдала. Из глаз и из носа текло, я попыталась стереть и без того далеко не стерильной салфеткой следы своей распущенности и скрыть свой позор от презрительных взглядов приличной публики.

Но ничего не помогало — я разрыдалась еще пуще.

Палома меня предала.

Все, что скопилось в груди, изливалось с этими потоками слез: вся прожитая в затворничестве одинокая жизнь, с долгим сидением за книгами, воспоминания о зимних хворобах, о ноябрьском дожде и прекрасном лице Лизетты, о камелиях, прошедших по кругам ада и лежащих на мху, о нескончаемых дружеских чаепитиях, о добрых словах из уст богатой барышни, о натюрмортах ваби,

---

[1] Мешанина *(англ.)*.

о вечной красоте и многих ее преломлениях, о летних дождях, приносящих нежданную радость, о снежных хлопьях, танцующих в ритме сердечного стука, о ясном личике Паломы на фоне старой Японии. Я плакала неудержимо, заливалась горячими счастливыми слезами, и все вокруг исчезло, растворилось во взгляде того единственного человека, рядом с которым я чувствовала себя чем-то значимым, он ласково держал меня за руку и улыбался с бесконечной добротой.

— Спасибо, — еле выдавила я между всхлипами.

— Мы можем быть друзьями, — повторил он, — и всем, чем только захотим.

> Remember me, remember me,
> And ah! Envy my fate[1].

---

[1] Помни, помни меня
И завидуй моей судьбе *(англ.)*.

22. ПОЛЕВАЯ ТРАВКА

Теперь я знаю, что́ непременно нужно пережить, чтобы потом было и умирать не страшно. Знаю и могу поделиться с вами. Нужно увидеть, как проливной дождь переходит в сияние.

Я не спала всю ночь. После моих вулканических эмоций и несмотря на них все было прекрасно: покой, согласие и отрадные, долгие, бархатистые паузы в разговоре. Какуро проводил меня до двери привратницкой, поцеловал руку, и мы расстались без единого слова, лишь поглядев друг на друга особенным взглядом и улыбнувшись.

А ночью я не спала.

Знаете почему?

Конечно знаете.

Кто же не догадается, что, помимо всего прочего, то есть помимо титанического толчка, который разбил мой ледяной панцирь и потряс до основания всю мою жизнь, кое-что еще будоражило сердечко бедной девочки пятидесяти с лишним лет. «И всем, чем только захотим» — вот как звучало это кое-что.

В семь утра я вскочила как ошпаренная, катапультировав оскорбленного до глубины души кота на другой конец кровати. Меня мучил голод. Причем не только утробный, физический (толстый ломоть хлеба с маслом и сливовым повидлом только разжег мой непомерный аппетит), но еще и душевный: мне страшно не терпелось поскорее узнать, что будет дальше. Я металась по кухне, как зверь по клетке, шпыняла кота, который не обращал на меня ни малейшего внимания, намазала второй ломоть хлеба маслом и повидлом; расхаживая взад и вперед, я расставляла по полкам разную утварь, которой там явно было не место, и собиралась сделать третий набег на хлебобулочные изделия.

И вдруг, ровно в восемь часов, успокоилась. Неожиданно, самым удивительным образом на меня снизошел полный покой. Что произошло? Мутация. Другого объяснения не вижу. У кого-то прорезаются жабры, а у меня прорезалась мудрость.

Я села на стул, и жизнь вошла в обычное русло.

Прямо скажем, довольно унылое русло: я вспомнила, что я по-прежнему консьержка и в девять часов должна идти на улицу Бак за порошком для чистки медной фурнитуры. Собственно, это нужно сделать просто утром, не обязательно точно в девять. Но я вчера так запланировала: в девять часов — на улицу Бак. А раз так, я взяла хозяйственную сумку, кошелек и отправилась в большой мир добывать порошок для наведения блеска на завитушки в роскошных домах. Стоял чудесный весенний день. Я издали заметила Жежена — он как раз выбирался из своего картонного логова — и порадовалась: ему хорошая погода особенно важна. Вдруг вспомнилось, как тепло этот бомж относился к надменному верховному жрецу гастрономии, и я про себя улыбнулась. «Счастливым дела нет до классовой борьбы», — подумала я и сама удивилась несвойственному мне миролюбию.

Тут-то все и началось. Когда меня от Жежена отделяло не больше дюжины шагов, он пошатнулся. Странно! Похоже, он и сам не понимал, что с ним творится, — я видела его изумленное лицо. Его качало все сильнее, как на корабельной палубе. «Что с вами?» — выкрикнула я и ускорила шаг, торопясь ему на помощь. Обычно в девять утра Жежен не бывает пьян, да и не берет его спиртное, оно для него — что полевая травка для коровы. Как на беду, на улице ни души, я одна вижу, как беднягу мотает из стороны в сторону. Вот он уже делает неловкий шаг в сторону мостовой, потом другой — а мне осталось до него два метра — и вдруг бросается бежать как угорелый.

И вот случилось, что случилось.

Чего никто на свете, в том числе и я, для себя не желает.

23. МОИ КАМЕЛИИ

Я умираю.

Знаю точно, как будто это знание свыше, что умираю и вот-вот умру на улице Бак теплым весенним утром, потому что с бомжом по имени Жежен приключилась пляска святого Витта, и он, забыв и Бога и людей, дергался на проезжей части пустынной улицы.

Как оказалось, не совсем пустынной.

Я побежала за Жеженом, бросив свою сумку.

И меня сбила машина.

Увидела я ее, уже когда упала, — в первый момент просто-напросто ничего не поняла, потом нахлынула чудовищная боль. А вот теперь валяюсь на спине и могу сколько угодно любоваться боком фургончика, который доставляет вещи из химчистки. Он попытался меня объехать, подался влево, но поздно — и сшиб меня правым передним крылом. Синяя надпись на белом квадратике: «Чистка Малавуэн». Если б могла, я бы рассмеялась. Пути Господни внятны для того, кто хочет их понять... Я думаю о Мануэле, она до конца своих дней не простит себе моей смерти под колесами фургончика из чистки. Что это, как не наказание за двойное воровство, в котором не без ее уча-

336

стия я оказалась виновата?.. Меня переполняет боль: болит растерзанная плоть, мучительно, невыносимо, я не могу сказать, где именно, — каким-то образом боль разлилась повсюду, где только есть чувствительные клетки; болит душа за Мануэлу — она останется одна, а я... я ее больше не увижу, и эта мысль — как саднящая рана.

Говорят, в предсмертные минуты перед глазами проходит вся жизнь. Ну а перед моими широко открытыми глазами, которые уже не различают ни фургона, ни девушки, сидевшей за рулем, той самой сонной приемщицы, что вручила мне вишневое платье, а теперь вопит истошным, некрасивым голосом и бьется в рыданиях, — ни сбежавшихся после аварии прохожих, которые мне что-то говорят, а я не понимаю, — перед моими широко открытыми, но ничего не видящими глазами плывут любимые лица, и о каждом я думаю с острой тоской.

Но первой появилась мордочка, а не лицо. Моя первая мысль о коте, не потому, что он мне дороже людей, а потому, что, прежде чем начать по-настоящему мучительно прощаться со всеми, я должна быть уверена, что мой четвероногий друг не пропадет. С усмешкой, нежностью и грустью я думаю о Льве, ленивом толстяке, обжоре, который десять лет был мне спутником и разделял со мной вдовство и одиночество. На пороге смерти привычная близость таких существ уже не кажется чем-то незначительным и обыденным. Лев — это десять лет моей жизни, и я вдруг ясно осознала: все наши кошки, все эти смешные и вроде бы никчемные зверьки, с покорностью и безучастностью сопровождающие нас по земному пути, — это хранители веселых, радостных минут, счастливой канвы, что проступает даже в самой несчастливой участи. Прощай, мой Лев, сказала я беззвучно и, по существу, прощаясь с целой жизнью, которой дорожила куда больше, чем думала.

Я мысленно вручила судьбу своего кота Олимпии Сен-Нис, и мне сразу стало легче — она с ним будет обращаться хорошо.

Ну а теперь приступим к людям.

Мануэла.
Мануэла, любимая моя подруга.
На краю могилы уже можно перейти на «ты». Помнишь, сколько чашек чая мы выпили, нежась в уюте нашей дружбы? Десять лет чаепитий и церемонных «вы», сердечного тепла и бесконечной благодарности, не знаю уж, кому или чему, наверное, самой жизни, за счастье быть твоей подругой. Знаешь ли ты, что самые лучшие мысли приходили мне в голову рядом с тобой? Неужели нужно было оказаться при смерти, чтобы это осознать? Спасибо за эти чаепития, за долгие часы утонченного общения, за твое природное достоинство светской дамы без бриллиантов и дворцов, — если бы не все это, я оставалась бы заурядной консьержкой, а так я заразилась от тебя — душевный аристократизм заразителен — и обрела великую способность дружить. Разве могла бы я так легко обратить ненасытность плебейки в наслаждение искусством, проникнуться любовью к синему фарфору, к распускающимся поч-

кам, к томным камелиям и множеству других крупинок вечности, вкрапленных в мимолетность, драгоценных жемчужин в бегущем потоке, если бы ты, неделя за неделей, не питала меня своим сердцем в часы священных чайных ритуалов.

Как мне тебя уже не хватает... Сейчас, вот этим утром, я поняла, что значит умирать — в час нашего ухода для нас умирают другие; ведь я-то здесь, лежу, продрогшая, на мостовой, и смерть не имеет ко мне отношения — или, во всяком случае, сегодня ничуть не больше, чем вчера. Но я уж больше не увижу тех, кого люблю, и если это смерть, то она и вправду страшна.

Мануэла, сестра моя, судьба не пожелала, чтобы я была для тебя тем, чем стала для меня ты — защитой от невзгод, преградой пошлости. Живи и думай обо мне со светлым чувством. А для меня такая мука думать, что мы больше не увидимся.

Вот и ты, Люсьен, пожелтевшая фотография в медальоне перед глазами памяти. Ты улыбаешься, насвистываешь. Ты тоже оплакивал не свою, а мою смерть и мучился не оттого, что погружаешься во тьму, а оттого, что больше мы не взглянем друг на друга? Что остается от жизни, прожитой вместе, когда оба мертвы? У меня сегодня странное чувство, будто я предаю тебя. Умирая, я как будто окончательно убиваю тебя. Так, значит, надо пережить еще и это: не только расставание с живыми, но и убийство мертвых, что жили только в нас. И все-таки ты улыбаешься, Люсьен, ты насвистываешь, что ж, улыбнусь и я. Я очень любила тебя и потому, наверное, заслужила покой.

Мы с тобой будем мирно спать на маленьком кладбище в нашей деревне. Издалека будет доноситься плеск реки. У нас ловят плотву по весне и еще пескарей. Прибегут ребятишки и будут играть и кричать. А на закате зазвенят колокола.

И вы, Какуро, дорогой Какуро, вы заставили меня поверить, что чудо камелий доступно и мне... О вас я думаю сегодня вскользь; за несколько недель ключа не подберешь, я знаю вас лишь как небесного посланца, вы — чудесный бальзам, избавляющий от неумолимой судьбы. Могло ли между нами быть что-то еще? Как знать... Сердце у меня сжимается от этой мысли. Что, если бы?.. Что, если бы и дальше я могла смеяться, говорить и плакать с вами? Тогда бы я отмыла добела запятнанные годы, и наша неправдоподобная любовь вернула бы Лизетте честь. Как жаль, что этому не быть... Вот вы уже растворяетесь в темноте, мы больше никогда не увидимся, и мне приходится смириться: я так и не узнаю, что готовила мне судьба...

Вот это и значит умирать? Так неприглядно? И сколько еще времени мне ждать?

А может, вечность, раз конца все нет?

Палома, девочка моя.
Я говорю с тобой. С тобой последней.
Палома, девочка моя.
У меня не было детей, так уж вышло. И я об этом никогда не горевала. Но если бы была у меня дочь, то только ты. И я молю всеми силами о том, чтоб оправдались все надежды, которые ты подаешь.

Вдруг — озарение.

Да-да, я вижу твое личико, серьезное и чистое, твои очки в розовой оправе, вижу, как ты привычно теребишь край жилета, как смотришь прямо и открыто, как ласково ты говоришь с котом, будто бы он тебе ответит. И у меня текут слезы — невидимые. Я плачу от радости про себя. Не знаю, что видят зеваки, склонившиеся надо мной.

Но в душе у меня светит солнце.

Как можно судить о ценности прожитой жизни? Палома как-то сказала: важно не то, как ты умер, а что ты делал перед смертью. Что же я делала перед смертью? Ответ уже написан в сердце.

Так что же?

Я нашла своих ближних и готовилась их полюбить.

После пятидесяти четырех лет душевного одиночества, скрашенного лишь нежностью Люсьена, который был только моей собственной смиренной тенью; пятидесяти четырех лет игры в прятки и тайных восторгов рассудка-затворника; после пятидесяти четырех лет ненависти к миру и касте, на которой я вымещала свои мелкие обиды; пятидесяти четырех лет пустыни, в которой никого и никогда не было со мною рядом, вдруг появились:

Верная Мануэла.

И Какуро.

И Палома, родная душа.

Мои камелии.

Мне так хотелось бы выпить с вами на прощание нашу последнюю чашку чая.

———

Но вот еще одно явление — веселый кокер пробежал, с болтающимися ушами и высунутым языком. Глупо, но я опять рассмеялась. Счастливо оставаться, Нептун. Ты мне никто, забавный песик, да и все — наверное, перед смертью мы уже не очень-то владеем своими мыслями. Похоже, ты последний, о ком я успею подумать. И если в этом есть какой-то смысл, то я его не понимаю.

Нет-нет!
Еще одна картинка.
Как странно. Я совсем не вижу лиц...
Июнь, начало лета. Часов семь вечера. В деревенской церкви звонят колокола. Я вижу сгорбленную спину отца, его напряженные руки, он копает землю. Солнце клонится к закату. Отец выпрямляется, вытирает рукавом пот со лба и направляется к дому.

Труды окончены.

Скоро девять часов.
Я умираю в мире и покое.

Последняя глубокая мысль

Что делать
Перед лицом «никогда»?
Искать частицы «всегда»
В музыкальной оправе.

Сегодня утром умерла мадам Мишель. Ее сбил фургон, развозящий вещи из чистки, недалеко от улицы Бак. Пишу все это и не верю.

Мне об этом сказал Какуро. Поль, его секретарь, как раз шел в это время по улице. Он видел столкновение издалека, а когда подбежал, было уже поздно. Рене спешила на помощь бомжу по имени Жежен, который обитал там, на углу; ей показалось, что Жежену стало плохо, а тот на самом деле просто был в стельку пьян. Она побежала к нему и не заметила фургон. Девушку, которая была за рулем, кажется, увезли в больницу — она не в себе.

Какуро позвонил к нам в дверь около одиннадцати часов. Он попросил позвать меня, взял меня за руку и сказал: «Не в моих силах избавить тебя от этой боли, Палома, поэтому расскажу все, как есть: Рене попала под машину. Только что, около девяти. Ее очень сильно ударило. И она умерла». На глазах у него были слезы. Он крепко сжал мне руку. «Господи! — испуганно воскликнула мама. — Да кто это — Рене?» — «Мадам Мишель», — пояснил Какуро. «А-а», — с облегчением сказала мама. Какуро с гадливостью отвернулся от нее и опять обратился ко мне: «Сейчас мне предстоит заняться массой невеселых дел, а потом мы с тобой увидимся, ладно?» Я кивнула и тоже сжала его руку. Мы попрощались по-японски, быстрым низким поклоном. Мы с ним понимаем друг друга. Нам обоим так плохо...

Когда Какуро ушел, мне хотелось только одного — отделаться от мамы. Она уже открыла рот, но я ее предупредила жестом: «Молчи!» Она как-то сдавленно пискнула, но не подошла и дала мне уйти к себе в комнату. Я свернулась калачиком на постели и замерла. Спустя полчаса мама тихо постучалась в дверь. Я сказала: «Не надо». И она отступилась.

С тех пор прошел целый день. И много чего произошло в нашем доме. Перескажу коротко. Олимпия Сен-Нис, как только узнала, что случилось, побежала в привратницкую (дверь открыл снаружи слесарь) и забрала к себе Льва, теперь он будет жить у нее. Я думаю, мадам Мишель... Рене... так бы и захотела. И мне стало немного легче. Мадам де Брольи взяла на себя часть хлопот по похоронам, хотя главное, конечно, делает Какуро. Как ни странно, я даже почувствовала симпатию к этой старой ведьме. Маме, с которой они вдруг сдружились, она сказала: «Как-никак, она была при доме двадцать семь лет. Нам ее будет не хватать». И стала собирать деньги на цветы. Она же вызвалась известить родных Рене. А есть ли у нее родные? Я не знаю. Мадам де Брольи их поищет.

Труднее всего, конечно, мадам Лопес. Сообщила ей все та же мадам де Брольи, когда Мануэла пришла к ней в десять часов убираться. Она сначала как будто не поняла и стояла, прикрыв рот рукой. А потом упала. Спустя четверть часа пришла в сознание, пробормотала: «Простите, простите меня», надела свалившуюся с головы косынку и ушла к себе домой.

Беда.

А я? Что со мной? Я подробно записываю все, что творится в доме номер семь по улице Гренель, и понимаю: я трусиха. Мне не хватает мужества заглянуть в себя и разобраться с собственными чувствами. И еще мне стыдно. Я собиралась умереть, причинить боль Коломбе, маме, папе, потому что сама еще не испытывала настоящей боли. Конечно, я страдала, но по-настоящему больно мне тогда еще не было. Теперь я вижу: планы, с которыми я так носилась, — всего лишь прихоть балованной девчонки. Причуда богатой дурочки, которой хочется поумничать.

И вот мне стало больно. Впервые в жизни. Как будто меня сананули под дых — в глазах темно, трудно дышать, сердце медленно ухает, и резь в животе. Страшная, физическая боль. Я даже думала, не вынесу. Так больно — хоть кричи! Но я не закричала. Ну а теперь, когда хотя боль и не прошла, но я уже могу ходить и говорить, я мучаюсь бессилием и ужасаюсь: до чего же все абсурдно. Как это может быть? Жизнь, полная планов на будущее, незавершенных разговоров, не успевших осуществиться желаний, гаснет в один миг, и не остается ничего, и ничего нельзя сделать, и никак нельзя вернуться вспять...

Первый раз в жизни я ощутила смысл слова «никогда». И мне стало жутко. Сто раз на день произносишь его, не думая, что говоришь, пока не столкнешься с настоящим «больше никогда». Нам кажется, что все в нашей власти и нет ничего окончательного. Сколько бы я ни говорила себе все последнее время, что скоро уйду из жизни, разве всерьез я в это верила? Разве, приняв это решение, почувствовала, что значит «никогда»? Да нет! Я чувствовала другое: что я вольна собой распорядиться. Думаю, даже за несколько минут до того, как покончить с собой, я все равно не осознала бы весь ужас этих слов: «никогда», «навсегда». Его постигаешь, только когда умирает человек, которого любишь, и тогда становится плохо, так плохо. Будто погас фейерверк, и ты в полной тьме. Больно, одиноко, к горлу подкатывает тошнота, и каждое движение стоит усилий.

А потом произошло что-то странное. Трудно поверить, чтобы в такой тяжелый день... Около пяти часов мы с Какуро спустились вместе в привратницкую мадам Мишель (то есть Рене), он хотел взять ее одежду и отвезти в морг. Когда он позвонил в дверь и попросил маму позвать меня, я уже знала, что это он, и сразу вышла. Конечно, я захотела пойти вместе с ним. Мы молча вошли в лифт. Лицо у Какуро было очень усталое, больше усталое, чем грустное, и я подумала, что так и бывает у мудрых людей: страдание у них не показное, оно внутри, а внешне производит впечатление глубокой усталости. Интересно, у меня тоже усталый вид?

В общем, мы с Какуро спустились на первый этаж. Но, проходя через двор, вдруг замерли, как по команде: кто-то заиграл на пианино, и музыку было очень хорошо слышно. Кажется, играли что-то из Сати, хотя я не уверена, но точно что-то классическое.

Никаких глубоких мыслей по этому поводу у меня не возникло. Откуда взяться глубоким мыслям, когда родной человек лежит в морге? А было так: мы оба с Какуро остановились, оба глубоко вздохнули и застыли, подставив лица теплому солнцу и слушая музыку. «Я думаю, Рене тоже было бы сейчас хорошо», — сказал Какуро. И мы еще немного постояли и послушали. Я была с ним согласна. Но почему нам стало хорошо?

Сейчас уже вечер, у меня по-прежнему все болит, но вот что я думаю: может, так она и устроена, эта жизнь?

День за днем все тягостно и безнадежно, но вдруг просияет что-то прекрасное, и на мгновение время станет другим. Как будто звуки музыки взяли в скобки, обособили кусочек времени и превратили его в частицу иного мира посреди нашего обычного, частицу «всегда» в «никогда».

Да, вот оно: «всегда в никогда».

Не бойтесь, Рене, я не буду кончать жизнь самоубийством и ничего не буду жечь.

Отныне, в память о вас, я буду искать частицы «всегда» в «никогда».

Искать красоту в этом мире.

ОГЛАВЛЕНИЕ

МАРКС

КАМЕЛИИ

ПАЛОМА